Comer sano

y no morir en el intento

Mercedes Martí

Comer sano
y no morir en el intento

EDICIONES URANO

Argentina – Chile – Colombia – España – Estados Unidos
México – Perú – Uruguay – Venezuela

Martí, Mercedes
    Comer sano y no morir en el intento. - 2a ed. -
Buenos Aires : Ediciones Urano, 2012.
    192 p. ; 21x14 cm.

    ISBN 978-950-788-103-9

    1. Autoayuda. I. Título
    CDD 158.1

Edición: Anabel Jurado
Diseño: Claudia Anzilutti

2ª edición

ISBN 978-950-788-103-9
Queda hecho el depósito que establece la ley 11.723

Impreso en Printing Books S.A.
Mario Bravo 835, Avellaneda
Octubre 2012

Impreso en Argentina. *Printed in Argentina*

Dedicatoria

A mis dos amores, el Polaco y Natasha, para los que cocino todos los días con todo mi esmero y dedicación.

Para mi gran amiga, Marisa Brel, quien me motivó y alentó especialmente para que escriba este libro.

Para mi gran amiga de la infancia, Patricia Páez, quien me sirvió de inspiración y ayuda en varios capítulos.

Mi especial agradecimiento a Anabel Jurado y su equipo de Ediciones Urano por interesarse en este tema y hacérmela tan fácil, cuando otras editoriales ni siquiera me atendían el teléfono…

Para la fotógrafa Patricia Torres Monod y su familia, que me abrieron las puertas de su casa para hacer las fotos de este libro.

Para la periodista Inés Díaz y el *vj* Pelo que me dieron una mano en la cocina del libro y al equipo de QK Studio que diseñaron mi website.

Índice

*Solo existen dos días en el año
en los que no se puede hacer nada:
ayer y mañana.
"Hoy", es el día ideal para amar,
creer, hacer y vivir.*

Dalái Lama

Prólogo
de Marisa Brel

Pocas veces he sido testigo de la cocina de un libro. Y nunca mejor dicho para prologar el libro de mi querida amiga Mercedes. He visto su pasión desde el momento en que lo creó en su mente, cuando empezó a elegir con mucho cuidado cada ingrediente para añadir a este libro, que seguramente enseñará a miles y miles de personas de todas las edades a aprender a cuidarnos y a cuidar a nuestras familias. Solo al leer cada párrafo sentirán el amor real y profundo que Mecha le puso como condimentos a sus relatos, a sus investigaciones, a sus recomendaciones y sobre todo a transmitir su experiencia.

En mi caso, Mecha es desde hace años mi hermana del corazón y me cuida como tal. Ella veía lo mal que comía. Sin horarios, sin conocimientos sobre la comida y sobre todo veía, y sufría, al verme disfrutar de la comida chatarra.

De a poco, y disimuladamente, ella fue enseñándome a incorporar alimentos con la excusa de verme sufrir por mis eternas constipaciones e intentar dar alivio a mis quejas y enojos con mi intestino, el cual no quería, vaya a saber uno por qué, soltar desde desechos hasta emociones tóxicas que se adhieren a nosotros.

Con el amor de una hermana, fue concientizándome de la importancia de comer sano y no morir en el intento. Siempre he comido carne, sobre todo vacuna, pollo y muy poco pescado. Desde hace un año, no como carne, salvo algún sushi que cada tanto nos permitimos comer.

Así de abrupto ha sido mi cambio de hábitos y todo guiado por Mercedes. Frutas y verduras me alimentan día a día, lo mismo que el arroz yamaní, que con mucha paciencia se encargó de enseñarme más de una vez cómo hacerlo para que quede riquísimo. Era muy divertido ver a mi amiga llegar a mi casa y disimuladamente dejarme comida preparada por ella cuando yo no comía ni una lechuga.

Su disciplina en todas las áreas me hacen admirarla día a día. Y su pasión por cocinar rico y sano es su terapia. Yo aprendo de verla y escucharla. Escucho sus consejos y aprendo. Si no hubiera sido por ella, nunca me hubiera animado a probar el brócoli, que ahora me encanta. O la yerba orgánica, los fideos integrales y el pan con fibras.

Sí, debo decir que Mecha me cambió la vida. Y aunque parezca exagerado, es así. Porque desde hace un año me siento mil veces mejor debido a que todo lo que como es sano. Y sobre todo sabroso, por lo cual no extraño nada de mi "vida anterior".

De a poco, también voy incorporándole alimentos sanos a mi hija Paloma, que es como yo cuando era chica. Vive a churrasco, milanesas, papas fritas, puré y, con suerte, algo de tomate y, ahora, gracias a la "Tía Mecha", también clara de huevo.

Sé que este libro será muy importante y me lo imagino como lectura obligatoria en colegios para chicos y sus padres. La alimentación sana es nuestro combustible. Es lo que rige nuestra salud. Y yo me animé. Aunque aún muchos no me creen, como sano y rico.

Celebro que mi amiga haya, por fin, terminado este libro que se cocinó durante un año, porque Mercedes se toma sabiamente sus tiempos para todo. Es tan detallista que revisó mil veces cada palabra, cada sugerencia y cada entrevista, todos exquisitos ingredientes que sin su amor, profesionalismo y pasión en relación con la alimentación sana, no tendría gusto a nada.

Pruébenlo. ¡Es riquísimo!

Marisa Brel
Periodista-Escritora

Prólogo
de Bernardo Stamateas

Es un agrado para mí poder prologar este libro, ya que conozco a Mercedes y sé que es una gran comunicadora que tiene el don de transmitirnos su conocimiento con claridad. Es una mujer que hace las cosas bien y que pone empeño en cada empresa que emprende. Su mirada es siempre hacia delante, hacia el mañana... Mercedes es una "constructora del futuro".

Como buena observadora, en este libro nos comparte una serie de entrevistas con profesionales, arrojando luz sobre las preguntas más frecuentes que nos hacemos con respecto a la alimentación, ya que muchas veces, tanto los hombres como las mujeres, nos sometemos a dietas estrictas, y no distinguimos las dietas balanceadas de las milagrosas, y entonces, cuando los objetivos no se cumplen, sentimos vergüenza y frustración. Y así es como pasamos gran parte de nuestra vida de dieta en dieta y la dieta pasa a ser una obsesión. Todos los lunes comenzamos una dieta nueva pero la mayoría de las veces claudicamos a mitad de semana. En la dieta es "el otro", es "la dieta" quien nos dice lo que podemos o no comer, por eso es que solemos dejar los planes por la mitad; en cambio, cuando es uno el que decide vivir sanamente y elige qué comer para verse mejor y más saludable, podrá llevar a cabo el plan que elija de acuerdo con su necesidad y con su cuerpo, y no solo eso, sino que llegará al resultado que espera.

Definamos primero cómo queremos vernos, aprendamos a comer bien de adentro hacia afuera, o sea, que nuestra alimentación no sea emocional, por problemas no resueltos, por bronca contenida, por ira, por enojos, comencemos por sanar nuestro interior para poder comer inteligentemente. Comamos de acuerdo con nuestras necesidades físicas, no por emoción; si no estamos bien alimentados no vamos a gozar de buen humor, ya que nuestro cuerpo expresa y comunica quiénes somos.

Uno mismo es quien decide la manera de comer que llevará a cabo. Nosotros somos los dueños de nuestro propio cuerpo, y él nos acompañará toda la vida hacia nuestros sueños, nuestros proyectos, nuestras metas. Por eso, si tenemos deseos, ganas de vivir muchos años con salud, necesitamos aprender a cuidarlo, a adquirir buenos hábitos alimenticios, ya que estos son fundamentales para conquistar nuestro propósito. Nuestro cuerpo es tan importante como todas las demás tareas, ¡comencemos a darle el lugar que merece! Tratemos bien a nuestro cuerpo, y cuando lo hagamos, él comenzará a darse cuenta de este nuevo trato y todo lo bueno que le demos, lo veremos reflejado en nuestro exterior.

En este libro podremos encontrar un gran panorama de ideas prácticas y enriquecedoras para ampliar nuestra perspectiva de lo que significa comer sano para tener una gran vida saludable.

Bernardo Stamateas
Licenciado en Psicología

Introducción

—¿Carne?

—No, gracias, no como carne...

—¿Y entonces qué comes?

—Todo lo demás... —contesto con naturalidad.

Este diálogo se ha repetido a lo largo de toda mi vida y casi siempre la conversación continúa explicándole a mi interlocutor qué alimentos ingiero, cómo los cocino y, también, dando algunas recetas.

La idea de este libro no es convencerlos de que se vuelvan vegetarianos, pero sí que se animen a buscar una manera de comer más saludable... Yo eliminé la carne de mi dieta hace casi treinta años, pero creo que comer sano no pasa solo por dejar de comer carne... en un país carnívoro como la Argentina, no es fácil, uno se convierte en un bicho raro si va a un asado y come solo las ensaladas ¿no? A mí no me preocupa. No me gusta la carne, prefiero comer un poco de pescado o de pollo orgánico, aunque los veganos me critiquen y con razón... Todavía no he dejado totalmente las carnes blancas: mi alimentación, por ahora, está basada en verduras, frutas y cereales. Podría decir que soy ovo-lactovegetariana, ya que uso huevo y algún queso para cocinar y además consumo todo tipo de productos integrales y orgánicos. No me considero una fundamentalista de la comida, ni una fanática, pero sí una mujer que ha buscado siempre la manera de comer sano para sentirse mejor.

Como periodista, siempre me han interesado los temas vinculados con la alimentación y he tratado de hablar, en todos los noticieros o programas en los que trabajé, de estos asuntos. Creo que a la mayoría de la gente le importa mucho su salud, aunque le cuesta hacer cambios en sus hábitos alimentarios. Les resulta difícil relacionar lo que comen con el resultado que provocan los alimentos en su organismo. Solo se toma conciencia cuando se enferman o engordan demasiado.

Decidí escribir este libro porque me gusta ayudar y dar información a los demás, me gusta comunicar y despertar conciencias... y no alcanza con darle consejos solo a mis amigas o que entreviste a un nutricionista en la televisión.

No soy médica ni licenciada en nutrición, así que no pienso decirles lo que tienen que comer o dejar de comer. Solo les contaré mi experiencia personal, y estoy segura de que se van a identificar conmigo… ¿Quién no ha intentado alguna vez mejorar su alimentación?

En este libro podrán leer entrevistas muy interesantes con personas que saben mucho sobre el tema y además van a conocer testimonios de algunos famosos que han logrado modificar sus hábitos.

Me interesa mostrar distintas posturas y opiniones para que ustedes saquen sus propias conclusiones. Si este libro está en sus manos, es porque están buscando una manera de aprender a comer mejor y espero que les sea muy útil.

También les regalaré algunas de mis recetas favoritas, muy fáciles de preparar, muy ricas y saludables, para que disfruten cocinando y comiendo junto con las personas que más quieren.

Los malos hábitos empiezan por casa

Tal vez esperaban de mí un libro sobre "la cocina de las noticias", acaso un libro de algún tema de actualidad, como la política o la economía.

¡Lamento defraudarlos! Creo que en los "pequeños temas" están los "grandes temas"...

La alimentación está vinculada directamente con la salud y la calidad de vida, la educación y la cultura. Nadie puede ser feliz y sentirse sano sin una buena alimentación; un país no puede crecer si los chicos no comen bien y sus neuronas no están fuertes para aprender. Y para mí ese sí que es "un gran tema".

Así como me han visto toda la vida en un estudio de televisión con trajecitos, maquillada y peinada, muy seria, contando lo que pasa, cuando llego a casa lo primero que hago es sumergirme en la cocina: esa es mi terapia. Me encanta cocinar, y lo que preparo, lo aprendí observando a mi abuela y a mi mamá. Antes, las mujeres, aunque trabajaban fuera de casa, siempre se hacían tiempo para preparar comida casera, la familia comía reunida en una mesa y era un ritual sagrado. Era el momento de charlar y saborear cosas ricas hechas en casa y no traídas por el *delivery*. ¡Ya sé! Me van a decir que no tienen tiempo... que viven corriendo y que no pudieron ir al supermercado y mucho menos cocinar... ¡así empieza un gran problema!

Una de las propuestas de este libro es aprender a hacerse tiempo para algo muy importante, ponerle empeño y dedicación a una tarea que puede ser muy gratificante... entregarse al acto creativo de preparar lo que uno come y disfrutarlo.

Menos horas viendo televisión, menos horas en la compu, pero sí más mercados y cacerolas. No, no es que sea una anticuada ni una machista, pero creo que cuando las mujeres pasaban más tiempo en la cocina no había tantos problemas de salud. ¡Y esto también va para los hombres! ¡No los vamos a dejar afuera! Ahora los roles se comparten y se intercambian, por eso quiero que se sientan incluidos.

Hombres y mujeres: para comer sano hay que cocinar. Y saber comprar. Todo el proceso comienza cuando uno va a hacer las compras. Tienen que saber elegir cada uno de los alimentos y pensar qué prepararán con ellos. De esto también vamos a hablar en este libro. Si delegan las compras y la cocina en la empleada que tienen en casa, difícilmente puedan entrenarla si ustedes no saben cómo hacerlo.

Pero quiero empezar contándoles algo de mi propia historia, para que me conozcan un poco más.

Cuando era chica amaba las comiditas de mi abuela valenciana, en especial la paella y todas sus recetas del sur de España. ¡Ahora le dicen dieta mediterránea! Mi papá, un gallego nacido en las rías de Arosa, comía mucho pescado y mariscos, pero se dejó seducir por la carne argentina no bien llegó a Buenos Aires. Mi mamá también era periodista, como yo, pero a pesar de tener mucho trabajo, cocinaba muy rico y variado. Cuando ella murió, yo ocupé su lugar en la cocina. Aprendí a cocinar pero también me dediqué a comer. Dicen los psicólogos que la comida simboliza a la madre, y yo, que ya no la tenía, calmé mi angustia comiendo demasiado... y así llegué a la preadolescencia con algunos kilos de más. Me salvaba la estatura, pero tenía sobrepeso. Antes de los 15 años, como la mayoría de las adolescentes, empecé a probar todo tipo de dietas para adelgazar y a través del deporte y de comer menos, logré un peso razonable, que mantengo hasta el día de hoy. Empecé a trabajar siendo muy joven y me fui a vivir sola a los 19 años. Recuerdo que en esa época de mi vida comía muy mal. Tenía varios trabajos en radio y televisión, estudiaba de noche, salía y tenía una vida un tanto desordenada. No tardaron en aparecer los problemas digestivos y, "gracias" a todo eso, fui a parar al consultorio de un gastroenterólogo muy sabio, que me ayudó mucho y me dio buenos consejos. Recordé que mi mamá, cuando estaba enferma de cáncer, había empezado una dieta macrobiótica, muy de moda en la década de 1970, pero lamentablemente ya era tarde. Murió cuando yo tenía 9 años y ella 43.

Después de investigar y leer mucho, tomé conciencia de que la comida y las enfermedades están asociadas. Por supuesto que influyen otros factores, como la genética, la contaminación, las emociones y el estrés, pero lo que comemos nos puede ayudar o enfermar... y por eso cambié mis hábitos de manera radical. Todo mejoró rápidamente, me sentí mucho mejor y desde entonces comencé a comer lo más sano posible. En esa época llegó a mis manos un libro que hablaba del cáncer de colon y cómo esa enfermedad había aumentado en los Estados Unidos como consecuencia de la comida chatarra y la falta de fibras en la dieta. Realmente me impactó muchísimo.

Mi curiosidad me llevó a probar con la comida vegetariana y naturista.

Por esos años, estaba de novia con un muchacho que practicaba fisicoculturismo, tenía unos músculos muy desarrollados, y su dieta era solo a base de carne y huevos; yo, en cambio, quería ir a comer a restaurantes vegetarianos o macrobióticos y nuestros encuentros cada vez eran más complicados... así que ya desde ese momento descubrí que comer y pensar distinto nos puede hacer sumamente incompatibles.

A los 25 años seguía trabajando en radio y televisión, con horarios bastante complicados. Era muy difícil organizarse con las comidas y más aún cuando me tocaban largas guardias periodísticas o viajes relámpago para cubrir alguna noticia. Es un trabajo muy estresante y muchas veces ciertos temas me han angustiado mucho. Cuando era productora de noticieros, gané una beca y me fui a estudiar a España. En la década de 1980, en Madrid era difícil encontrar comida naturista o vegetariana, pero sí había muchos restaurantes chinos y esa era una buena opción para comer más vegetales. Mis amigos iban de bar en bar y a toda hora comiendo "tapas" y tomando "cañas"... Hoy, sin embargo, en España también crece la tendencia de comer de manera más saludable y, en ese sentido, les recomiendo un libro que estoy leyendo, llamado *La cocina de la salud*, escrito por uno de los mejores chefs del mundo, el catalán Ferran Adrià, junto con un prestigioso cardiólogo y un periodista especialista en nutrición y salud.

Como reportera, me tocó viajar por muchísimos países, con distintas culturas, climas y paisajes y no siempre fue fácil acostumbrarse de un día para otro a determinadas comidas... mucho frito, mucho picante, productos exóticos... y cuando uno ya tiene un cuerpo desintoxicado, todo lo extraño cae mal. Solo en Brasil la comida era más saludable y natural. Años después, en los noventa, el destino me llevó a instalarme en Miami para trabajar en un canal de noticias como presentadora. Allí también tuve que adaptar mi alimentación, ya que todavía no había tantas alternativas saludables como las hay ahora. Me sorprendió la cantidad de obesos y la gran industria alimenticia. Toda la comida tenía muchísima grasa y sal en exceso, además de conservantes y aditivos.

A los 30 años dejé de viajar tanto y me quedé en Buenos Aires, conduciendo noticieros en Canal 13 y TN. Fue entonces que conocí a mi actual pareja y padre de mi hija, el Polaco. Cuando me invitó a cenar por primera vez, me aclaró que era macrobiótico y me cocinó. "¡Este es el hombre para mí!", pensé. Entre otras cosas que me gustaban de él, teníamos algo muy importante en común. Para mi cumpleaños, se apareció con un regalo muy significativo… ¡una cacerola! ¡Qué romántico! Desde entonces cocino en ella todos los días. Especialmente el arroz integral yamaní, que a él tanto le gusta; con él aprendí muchísimo, ya que es un estudioso de la alimentación y la filosofía orientales. Leí todos sus libros, que guarda como un tesoro, y juntos criamos a nuestra adorable hija Natasha, de la manera más natural y saludable posible.

En este libro habrá un capítulo especial sobre la alimentación de los niños y les contaré qué comí durante el embarazo y qué le di a mi bebé después de la teta; creo que esta es la etapa más importante de un chico y los papás deben cuidar su alimentación con mucha dedicación, tanto como elegir un buen colegio. ¡Lo que no se aprende en los primeros años de vida, no se aprende más!

Elegir una alimentación saludable debe ser una elección familiar, no se puede hacer un menú para cada uno. En este punto hay que ponerse de acuerdo, si no, no funciona. Ya sé que estás pensando: "A mi marido no le puedo sacar las milanesas con papas fritas o los ravioles con tuco, las facturas o el choripán". Sin embargo, de a poco y con paciencia puedes hacerle entender que él también tiene que cuidarse y no convertirse en una especie de Homero Simpson.

Como buena periodista, soy muy observadora y me encanta mirar, en la fila del supermercado, lo que llevan los demás en el carrito. Enseguida me doy cuenta de cuáles son sus hábitos alimenticios: muchas harinas blancas, muchos dulces, mucha carne y muy poca fruta, verdura y cereales o productos integrales. ¿Será por una cuestión cultural o por una cuestión económica? Es cierto que comer sano es un poco más costoso, pero yo prefiero gastar en eso y no en remedios.

En las escuelas enseñan de todo, idiomas, computación, cuidar el medio ambiente... pero no a comer bien, y este tema debería ser una materia desde la primaria. Recién ahora empieza a gestarse una tendencia de implementar kioscos saludables y cuidar el menú en los comedores escolares, pero son casos aislados. Así como ahora se habla de educación sexual o de ecología, debería hablarse mucho de alimentación. Los chicos aprenden muy rápido y llevan la información a sus casas. ¿Por qué no hacen huertas orgánicas? ¿Por qué no tienen cocina? Los chicos son felices cocinando y ese aprendizaje es muy valioso.

Siempre se teme a lo desconocido y por eso automáticamente se rechaza. "Comer sano" para muchos es "aburrido" y ¿qué es divertido? ¿Enfermarse y engordar? Las mujeres somos más abiertas a modificar nuestra alimentación y seguramente podemos hacerlo en casa con toda la familia. El error es poner el acento solo en lo estético en vez de pensar en la salud... tarde o temprano el cuerpo pasa factura de los desarreglos que uno ha hecho a lo largo de la vida, y todas sabemos que un momento de placer en la boca dura un siglo en las caderas. ¿Para qué tanta lipoaspiración y tratamiento estrambótico? ¿Para qué tantas dietas locas?

No hay soluciones mágicas si uno no se cuida y se quiere.

En este libro también hablaremos de las mujeres adictas a los dulces –especialmente el chocolate– y de las mujeres de "tránsito lento". Habrá un capítulo especial para nosotras, que a veces comemos mucho y mal impulsadas por las emociones.

En el último año me dediqué a entrevistar a distintos especialistas, que me dan su visión sobre todos estos asuntos. Ojalá les sirva para orientarlos y que cuando terminen de leer este libro tomen la decisión de hacer un cambio, ¿se animan? No hace falta esperar al lunes para empezar... ¡hay que hacerlo ahora!

Cocina saludable
para la mujer apurada

Este título apareció en mi cabeza mirando el maravilloso libro de Choly Berreteaga, *Cocina fácil para la mujer moderna*.

Esta gran cocinera y comunicadora advirtió, hace muchas décadas, que las mujeres necesitaban soluciones a sus problemas: la falta de tiempo hacía que ellas fueran dejando la cocina. La mujer trabajadora ya no podía pasar horas preparando alimentos y Choly plasmó en su gran libro, recetas sencillas, ricas y saludables... por eso varias generaciones de mujeres aprendieron a cocinar a pesar de sus múltiples ocupaciones.

La industria de la alimentación enseguida tomó nota de esta nueva situación (mujeres trabajando fuera de casa que necesitaban "comidas rápidas" para darles a sus familias) y proliferaron, así, los enlatados, envasados, refinados, congelados... mucha publicidad y sustancias artificiales que nos llevaron a tener en la actualidad millones de obesos y enfermedades vinculadas con el sobrepeso, entre otras.

Hace un tiempo volví a ver una película que me encanta y que me ayudó a tomar la decisión de ponerme a escribir. Se llama *Julia & Julie* y es la historia real de dos mujeres entrelazadas por el amor a la cocina. La gran Meryl Streep encarna a Julie Child, una especie de Petrona C. de Gandulfo –una cocinera muy famosa en la década de 1960 en Argentina– pero en este caso de la comida francesa. La otra protagonista es Julie Powel, interpretada por una genial comediante, Amy Adams. Ella personifica a una joven de Nueva York que detesta su trabajo y se refugia en la cocina (¡parecida a mí cuando estoy harta de las noticias!) y un buen día tiene una gran idea: escribir un blog contando sus experiencias, intentando imitar las recetas de su gran mentora. Durante un año cocina con esmero y escribe... ¡y no les cuento más! Mírenla. Una gran película en la que la vida de dos mujeres de distintas épocas se cruzan mágicamente.

Hace algunos años, Natasha, mi hija, que ahora tiene 11, me dijo que quería cocinar conmigo...tendría entonces 6 ó 7 años. Se puso un delantal y un gorro de cocinera y muy seria me dijo: "Mami, ¿y si hacemos un programa de cocina?". "¡Qué buena idea!", pensé... madre e hija cocinando juntas. Es la única manera de transmitir esta pasión, como hicieron mi abuela y mi mamá conmigo. Ella también me alentó a escribir este libro y quién sabe si después no vendrá el programa de televisión.

¿Hay en la televisión programas que hablan de comida saludable? Muy pocos. Tal vez se teme que los auspiciantes se quejen si se desalienta el consumo de determinados productos o bien se aconseja reemplazarlos por otros más naturales. ¿Será porque a la mayoría de la gente no le interesa el tema? Lo dudo, aunque algunos especialistas opinan que la tendencia de "comer sano" todavía es para una elite y no para la mayoría de la gente.

Y en este punto voy a compartir con ustedes algunos fragmentos de la entrevista que le hice a la Dra. Mónica Katz, nutricionista con muchísima experiencia en trastornos de la alimentación.

—¿Hay una tendencia en el mundo a comer más sano?

—Es solo para el diez por ciento de la gente aproximadamente. Tendría que haber vocación de instalar el tema, no solo desde los gobiernos sino también desde las empresas. No hay políticas de Estado. En la década de 1950 surge en Estados Unidos la "comida conveniente", en la segunda posguerra las mujeres se vuelven más "modernas", responden a los estímulos y se tornan más consumistas. Empieza, así, el auge de la industria alimenticia.

—¿Por qué nos cuesta tanto comer sano?

—Es que los humanos no buscamos comida sino recompensa y placer y la obtenemos a través del alcohol, el tabaco o la comida. ¿Por qué una persona va a elegir un pescado con vegetales si tiene comida chatarra por todos lados? Según varios estudios serios, azúcares, sal y grasas estimulan el sistema de recompensa, casi a niveles de drogas, son sustancias adictivas. Esta capacidad no la tienen ni la lechuga ni el pan integral, por ejemplo.

—Hay mucha gente que dice "necesito comer algo rico", en lugar de decir que tienen hambre…

—Es algo cultural. No es fácil volver "glamorosa" la ensalada y te pongo el ejemplo del pescado. En nuestro país se come poco pescado pero está de moda el sushi. Esto es porque es "glamoroso" y también por el *marketing*. Si logras que un alimento saludable sea algo deseado o lo colocas en un grupo de pertenencia, empieza a ser consumido… no importa si es muy sano.

Conocí a la doctora Katz hace muchos años, cuando estaba haciendo un trabajo para "Telenoche investiga", en Canal 13, sobre anorexia y bulimia… en los noventa ya se hablaba del tema y ella me impactó por su claridad para expresar lo que lleva a las mujeres jóvenes a estas enfermedades. Siempre hizo hincapié en esa "obsesión", que ahora se llama "ortorexia", es decir, la manía de la mujer de verse flaca y nunca estar conforme con su cuerpo.

No dieta. Puentes entre la alimentación y el placer… así se llama su primer libro, en el que explica que comer tiene que ser placentero y no un ejercicio intelectual: "Lo prohibido siempre despierta interés", asegura. Está absolutamente en contra de las dietas y de "demonizar y prohibir" algunos alimentos.

Y entonces… ¿se puede comer sano y que sea algo placentero? Esa es la pregunta que nos hacemos todos: ¿cómo se hace para comer rico y sano? Para mí es muy placentero comer alimentos saludables y también es un placer prepararlos. Estoy segura de que cada uno puede encontrar lo que le gusta y lo que le hace bien. Es la única manera de sostenerlo en el tiempo. Por eso este libro plantea "comer sano y no morir en el intento".

¿Aún no logré convencerte de que cocines? ¡No tienes excusas! La última opción puede ser encargar viandas saludables. Cada vez hay más emprendedores que se dedican a esta actividad: con el asesoramiento de nutricionistas, preparan menús ricos y sanos y te los llevan a tu casa.

Recibo por correo electrónico promociones de una empresa llamada Estilo Chef y los llamé para saber por qué se dedican a esto. Agustín Semenzato, el responsable, me contó que le gustan los negocios gastronómicos y que hay mucho mercado para vender comida saludable. La mayoría de sus clientes no quieren cocinar, o porque no les gusta o porque no tienen tiempo, y por lo general prefieren opciones *light* que ellos preparan bajo supervisión de una nutricionista.

Si hay alguien en Argentina que nos ha enseñado a comer mejor, es, sin duda, el doctor Alberto Cormillot. Toda una vida en los medios de comunicación hablando de alimentacion y obesidad, y también vendiendo sus productos *light*. Lo esperé a la salida de la radio y compartimos un rico capuchino en un bar de Palermo.

—Doctor, si alguien quiere comer más sano… ¿qué tiene que hacer?

—Comer más frutas y verduras… todo lo que sale de la tierra. Cereales integrales, legumbres, arroz y pan integral, lácteos descremados, carnes magras…

—¿Carne de vaca?

—Una vez por semana. Además, se puede comer pescado, pollo y huevos.

—¿La comida es tan adictiva como el alcohol o el cigarrillo?

—Para algunas personas es adictiva pero socialmente no está mal vista. Comparando con las drogas no es tan adictiva... ahora se está midiendo la cantidad de "serotonina" que libera el cerebro cuando las personas ingieren la sustancia que más les gusta y esto estimula los neurotransmisores de la recompensa.

—¿La comida sirve para calmar angustias?

—Sí, a veces, pero se come mucho por ansiedad o depresión. Hay muchos, también, que niegan que sufren obesidad. Cuando uno estimula el centro que regula el peso con mucha grasa e hidratos de carbono, ese centro se desregula y aparecen enfermedades como, por ejemplo, la diabetes, una enfermedad crónica.

—¿Por qué nos cuesta vincular lo que comemos con las enfermedades que tenemos?

—Porque no hay educación en ese sentido y hay mucha resistencia y autoengaño. Respecto de comer sano hay mucha iniciativa y poca continuidad. No hay que hacer dietas, hay que cambiar la manera de comer de por vida.

Hace algunos años, cuando trabajaba en Canal 9, me ofrecieron conducir un programa de actualidad en el que éramos todas mujeres. Se llamó "Historias de la tarde" y era realmente interesante. Tratábamos y debatíamos todos los temas del día, pero con el análisis de mujeres profesionales. Una de ellas era la nutricionista Andrea Purita, quien nos enseñó mucho sobre alimentación. Ella también hizo su aporte a este libro:

—¿Cómo se hace para comer rico y saludable?

—Lo más importante es aprender qué métodos de cocción hay que utilizar: parrilla, horno, en papel de aluminio… el secreto es no realizar frituras, evitar la grasa y el aceite.

—¿Dónde se puede aprender?

—Lo ideal es consultar al profesional que te atiende y pedir recetas. Comer sano no es solo comer ensaladas, hay que ser creativo. Insisto en no usar sal, crema y picante. Lamentablemente, no se le enseña a la gente a comer y solo se habla de dietas para adelgazar. Las personas se obsesionan con el peso y no con su salud. La alimentación saludable cura enfermedades y hay que saber encontrar el límite. Hay que hacerse amigo de la comida, pues los alimentos no son ni buenos ni malos y depende de cómo uno los consuma y en qué cantidad.

—¿Cuáles son las enfermedades que llevan a la gente a la consulta?

—Además de sobrepeso, colesterol alto, diabetes,

hipertensión, artrosis, problemas de tiroides, constipación, divertículos, gastritis… todo por la comida y
el estrés.

Cómo hacer las compras

Me gusta mucho levantarme temprano… es mi hora de mayor lucidez e inspiración. Tomo mate, leo las noticias y preparo un rico desayuno para todos: jugo de naranjas recién exprimidas o licuados de fruta, pan negro con queso blanco descremado y mermelada sin azúcar y, aunque no lo crean, preparo el almuerzo. Y la vianda para el colegio de la nena… abro la heladera y me arreglo con lo que tengo. Me gusta inventar. Confieso que cuento con la invalorable ayuda de Julia, la señora que trabaja en casa. Ella aprendió conmigo muchas recetas y me deja todo preparado, lavado y picado en recipientes plásticos, listo para cocinar. Esa es mi terapia, me relajo y me bajan ideas… cocinar es un hecho creativo. Aprovecho las horas de la mañana para escribir este libro y hoy pensé en contarles cómo hago las compras, primer paso para poder cocinar y comer bien.

No me gusta hacer el pedido por teléfono o por Internet. Prefiero ver y tocar lo que compro. Empiezo por la verdulería, por supuesto. Y voy día por medio. Comemos tanta verdura y fruta en casa que no dura nada y, además, la verdura y la fruta siempre tiene que ser fresca. Me gusta elegirla personalmente y aprovechar las ofertas del día. Muchas veces he optado por comprar la caja de productos orgánicos que reparten a domicilio. El Polaco, mi marido, siempre me dice que compre lo que es de estación, ya que hay que comer lo que es de ese lugar y de ese clima... y tiene razón. ¿Nunca les pasó de comer una fruta tropical en invierno y les cayó mal? Desconfíen de lo que se ve muy grande y perfecto... ¡tiene mucho fertilizante!

Manzanas y bananas compro siempre, tengo una gran frutera llena en la cocina. Naranjas, pomelos y limones para jugo y otras frutas para el postre –cuando es la estación–, frutillas, kiwi, mandarinas, durazno y melón, etc. Consumimos mucha zanahoria y tomate, además de todo lo de hoja verde. Para la ensalada, la rúcula es mi pasión, lo mismo que la espinaca cruda –¡ahora me armé mi propia huerta orgánica en casa y tengo de todo! Cebolla de verdeo y puerro en cantidad, porque le dan un rico gusto a todas las comidas. Brócoli, remolacha, choclo. Amo los hongos y champiñones. Las berenjenas para hacer milanesas al horno y los zapallitos para mi tarta favorita... Y lo infaltable:

¡la calabaza! Mi heladera es multicolor. Después paso a los huevos y los lácteos que uso para cocinar. Prefiero las claras y los quesos descremados. Voy a la pescadería y elijo con esmero lo que llegó ese día y si no sé cómo preparar algún tipo de pescado, pregunto. Pez ángel, filete de gatuzo, adoro el salmón y los camarones. ¡Pero qué caros son!

Una vez a la semana compro pollo de campo y siempre milanesas de soja, y tofu –queso de soja–; asimismo, el arroz integral nunca falta en casa –tipo yamaní, nada de arroz integral en cajita, tiene que ser el verdadero y natural. Pan negro, pan integral con semillas, galletas de arroz o tostadas con sésamo. Voy al supermercado pero también a la "dietética", que no debería llamarse de esa manera sino almacén natural, ¿no creen? Mucha gente piensa que allí se compran productos para bajar de peso cuando en realidad es una opción para ¡comer más sano! Cuando viajo agudizo el ingenio y trato de conocer lugares donde poder comprar y no tener que comer cualquier cosa… Con sorpresa y agrado descubro cada vez más lugares donde florecen los restaurantes naturistas.

Cuando viajo a Estados Unidos, no dejo de visitar Whole Foods, una cadena de supermercados orgánicos que es un verdadero espectáculo. Para mí es como ir a Disney World. La cultura orgánica y saludable está floreciendo en ese país y hay mercados en las plazas y cada vez más lugares donde comprar y comer sano.

Cuando uno está conectado con un tema, encuentra lo que busca. Así que te propongo descubrir este nuevo mundo, en especial cuando viajes. En cada ciudad importante nunca falta un barrio chino y allí hay de todo.

En Buenos Aires suelo ir a comer y a comprar a un restaurante chino vegetariano que también tiene supermercado; se llama Lotos y está en pleno centro. ¡Cuánto me gustaría producir un programa recorriendo mercados, almacenes y restaurantes naturistas mostrando esta tendencia que afortunadamente crece en todo el mundo!

Bio-Buenos Aires, ciudad gastronómica en transformación

Aquí en Buenos Aires hay cada vez más parrillas donde la gente devora kilos y kilos de asado y de achuras, pero por suerte también hay más propuestas de restaurantes orgánicos, veganos y naturistas. Palermo Soho y Palermo Holywood están llenos de lugares nuevos. Cuando vayas a un sitio así, fíjate lo que hay en el menú y pregunta cómo lo preparan y cómprate algo para probar en casa. Por lo general, hay jóvenes chefs con esta tendencia que cocinan muy rico y sano.

Angelita Bianculli, de "La esquina de las flores", se ha dedicado toda su vida a enseñar cómo cocinar comida naturista. Ella es, sin duda, la "gran pionera". Tuvo su primer restaurante en pleno centro de la ciudad y también un mercado con sus propios productos.

Ahora la encontramos en Palermo Soho, sobre la calle Gurruchaga.

—¿Angelita, cuántos años hace que te dedicas a esto y que tienes "La esquina de las flores"?

—¡Más de treinta años! Y ya doce años antes daba clases por todo el país...

—¿Cómo empezó tu vida en la búsqueda de comer mejor?

—No creo en las casualidades, tuve un problema de artrosis en las manos siendo muy joven y, como la medicina oficial no me dio resultado, probé con la macrobiótica que en los años setenta tuvo mucha fuerza en la Argentina... era muy estricta y había que adaptarla a nuestro país. Pero me sirvió para curarme.

—¿Y ahora cómo describirías tu alimentación?

—Como naturista. Sin fanatismos. La comida tiene que ser rica y sana y que no genere rechazo. Adaptarla a nuestras costumbres...

—¿Y qué nos recomiendas?

—No usar alimentos refinados, evitar los azúcares y las harinas blancas, comer más legumbres, semillas y cereales integrales.

—¿Eres totalmente vegetariana?

—Sí, no como carnes... algún huevo o lácteo pero solo para cocinar.

—Pero hay mucha gente que no puede o no quiere dejar las carnes...

—Yo les diría que la limiten, no es bueno comer tanta carne.

—Pero la mayoría de la gente no sabe demasiado sobre alimentación saludable, no saben qué comer y qué cocinar... ni cómo reemplazar las carnes.

—Sí, además las campañas publicitarias ¡nos bombardean con productos terribles! Curiosamente, en la crisis del 2001 mucha gente, por falta de dinero, volvió a cocinar y armó una huerta orgánica... eso fue muy positivo.

—Pero para muchas mujeres cocinar es una esclavitud...

—El mundo está necesitando "madres y cocineras", amor y no violencia.

—¿La comida tiene un vínculo con lo espiritual?

—Totalmente, mi vida cambió por completo. Estoy más relajada, mi cerebro funciona mejor y tengo más paz. Cuando uno está en el cambio, puede empezar por la comida, pero después vienen otras cosas.

Qué placer conversar con Angelita. Recuerdo mis comienzos en esta búsqueda. De adolescente salía del colegio y mientras mis amigas iban a los locales de comidas rápidas de moda, yo almorzaba en la esquina de avenida Córdoba y Montevideo. Allí compré mis primeros libros y productos naturales...

Esta entrevista seguramente tiene puntos en común con la charla que tuve con Claudio María Domínguez, a quien podemos definir como escritor y divulgador de temas espirituales, y esto me lleva directo al siguiente capítulo.

¿Ser vegetariano es ser un bicho raro?

—Claudio, ¿cómo te volviste vegetariano?

—Hace más de catorce años. Fue gradual. Primero quité la carne de mi dieta, y después el pescado… más tarde opté por la dieta ovolactovegetariana.

—¿Cómo te sientes ahora?

—La energía cambia, siento mucha vitalidad. Por la mañana bebo un gran depurador hepático, el jugo de un limón con agua. También consumo jugo de frutas con espirulina, una alga que aporta hierro… ideal para un vegetariano. Como muchas semillas y cereales integrales y recomiendo la "comida viva". Aquellos alimentos que no fueron cocinados y, por lo tanto, conservan todos sus nutrientes.

—¿Qué vinculación tiene la alimentación con el espíritu?

—Fue Hipócrates quien dijo: "La salud y la enfermedad nos llegan a través de los alimentos... que tu alimento sea tu medicina y que tu medicina sea tu alimento". La persona que come sano, vibra según la energía que consume y si son alimentos de energía sutil se vuelve más amorosa, más compasiva y expansiva con sus semejantes.

—¿Y por qué hay que dejar la carne?

—Muchos premios Nobel te hablan de este tema y no solo por salud sino por compasión... San Francisco de Asís decía: "Los animales son mis amigos y yo no me como a mis amigos". Desde el punto de vista espiritual, se explica que el animal capta el momento en el que está siendo asesinado y quien lo mata recibe esa perturbación energética... genera violencia y agresividad. El planeta está pidiendo a gritos un cambio, de compasión, de sentido común, de respeto por la creación. La calidad de energía que damos, vuelve. La carne es el alimento más cruel, poco económico e ineficiente que podemos ingerir.

Al escuchar a Claudio recordé mi rechazo, ya desde pequeña, a comer carne. Me obligaban y yo cuando podía la escupía. Por supuesto que ignoraba todo lo que sé ahora sobre el tema. También vino a mi cabeza un capítulo de *Los Simpson* en el que Lisa, la hija inteligente y sensible, decide hacerse vegetariana y es criticada por su familia y sus amigos. Aparece también

Paul McCartney. Él, junto con su esposa Linda, fueron de los primeros en hablar públicamente del tema y contaron su experiencia. Claudio me confesó que la historia del beatle vegetariano también influyó en su decisión de dejar de comer carne.

—¿Qué haces cuando la gente está en desacuerdo con tu manera de comer?

—Respeto la manera de pensar de los demás, solo doy un punto de vista diferente sobre la alimentación. La vida vegetariana es más saludable, la gente que come mucha carne y pocos vegetales está más expuesta a algunas enfermedades, como el colesterol alto, el cáncer, la osteoporosis, etc. Recomiendo que vean una película que se llama *Terráqueos* y saquen sus propias conclusiones.

Alguien más me habló hace un tiempo de ese documental. Fue mi colega Anabela Ascar, a quien entrevisté para mi programa "Mujer tenías que ser" y me contó su experiencia como vegetariana. Le envié un correo electrónico con varias preguntas y ella con entusiasmo me respondió.

—¿Cómo te volviste vegetariana?

—Cuando adopté a mi perrita Dominga. Ella me miraba con ojos de amor y entonces me hizo un "clic", fue como una revelación. Todos los animales tienen amor y sabiduría. En Internet encontré ese documental, *Terráqueos*, y quedé espantada de la manera en que matan a los animales con el fin de alimentación. Yo no puedo ser cómplice… es una manera cavernícola que no concuerda con una sociedad avanzada.

—¿Cómo te sientes ahora?

—Soy otra persona, tengo paz porque ya no me como a nadie que ha sufrido. Se me han agudizado la intuición y los sentidos. En un país carnívoro como la Argentina, en el que el asado es tradición, no es fácil decir en la tele que uno come parrillada de vegetales. Estoy muy comprometida en difundir esto y mi popularidad es una herramienta para hacerlo.

Por estos días salió a la venta un libro que está provocando mucha polémica y que tiene gran repercusión. Se titula *Comer animales* y su autor es Jonathan Safran Foer. Foer aporta información sobre cómo funcionan las granjas industriales. Describe las manipulaciones genéticas, el hacinamiento en galpones, las mutilaciones y las matanzas crueles. El libro comienza con una pregunta: "¿Te comerías a tu perro?". Imagínense cómo sigue… Muchos han tomado la decisión de dejar de comer carnes definitivamente después de leerlo. También les recomiendo que vean el documental *Food Inc.*, que muestra cómo funciona la poderosa industria de la alimentación y cómo son los criaderos de pollos en EE. UU. Estoy segura que van a cambiar drásticamente su manera de alimentarse después de verlo.

Los nutricionistas tradicionales están en contra de la postura vegetariana; enseguida dicen que la proteína animal no puede ser reemplazada por la proteína vegetal y que hay que tener cuidado con la "anemia". Sobre este punto, consulté a la licenciada María Emilia Mazzei, a quien entrevisté en muchos programas. Ella, con su gran capacidad para explicar fácilmente las cosas, me dijo:

—El hierro de las carnes es un hierro hémico, es decir, se absorbe alrededor de un veinte o treinta por ciento. El hierro vegetal, en cambio, es "no hémico", esto es, se absorbe entre un diez y un doce por ciento, de manera que cuando ingiero este tipo de hierro necesito también incorporar vitamina C para que funcione. Por ejemplo, si consumo lentejas tengo que agregarle tomate o de postre, naranjas o frutillas… Sugiero, en estos casos, comer huevos. Lo del colesterol es una gran mentira: comer huevo es muy saludable, tiene proteínas, vitaminas y nutrientes básicos como la luteína y la colina, que es la proteína más económica de la naturaleza y la recomiendo para embarazadas y niños. La clara tiene aminoácidos esenciales y aconsejo comer el huevo entero. A los vegetarianos les conviene comer proteínas vegetales con cereales. También sugiero comer una sola porción de carne al día y cuando digo carne no hablo solo de la vaca, puede ser cerdo, cordero, pescado, pollo o mariscos. Para ser totalmente vegetariano hay que tener mucha información y dedicarle mucho tiempo. Estoy más de acuerdo con los ovolactovegetarianos que con los veganos.

También busqué la opinión de la licenciada en Nutrición Eleonora Puentes, profesional de gran trayectoria. Esto fue lo que me dijo sobre no comer carne:

—En el caso concreto de personas vegetarianas hay tantas dietas vegetarianas como personas que la practiquen. Hay, además, variados matices. Encontramos pacientes vegetarianos que consumen huevos y lácteos y, algunos, pescado. Los veganos son una minoría, pero todos ellos están dispuestos a complementar las proteínas de origen animal que no consumen con otras para tener una alimentación completa. No se puede decir que todos los vegetarianos tengan anemia o que se les caiga el pelo por carencia nutricional.

—¿Podemos vivir sin comer carnes?

—Se puede vivir bien y ser sanos si estamos dispuestos a evaluar nuestra alimentación y complementarla con lo que falta, ya sean proteínas, vitaminas o minerales.

El año pasado, el mismísimo Bill Clinton contó públicamente que se había convertido en vegano y que solo comía vegetales, frutas y cereales y nada de origen animal. Él tuvo serios problemas de salud y parece que eso lo condujo a tomar esa importante decisión. Muchos famosos cuentan lo mismo en las revistas, ¿pero esto es solo una moda o se está gestando lentamente un cambio y una toma de conciencia? El Gobierno de Obama está implementando políticas de Estado sobre la alimentación saludable y su esposa Michelle tiene mucho que ver en ello… mientras él sigue comiendo hamburguesas, ella armó una huerta orgánica en la Casa Blanca. La primera dama norteamericana recorrió numerosas escuelas dando charlas para que los chicos comenzaran a comer mejor. Se retiraron las máquinas de gaseosas y de *snacks* y se implementaron los comedores saludables. Se le declaró la guerra a la comida chatarra y se prohibió la "cajita feliz" en California. La epidemia de obesidad hace estragos en Estados Unidos y si pudieron prohibir el cigarrillo en lugares públicos y bajar drásticamente las muertes por tabaquismo, también podrán, con decisión política, alentar la buena alimentación. La primera dama ahora ha llegado al récord Guinness, haciendo saltar a 300.000 personas para promocionar su programa de actividad física "Let´s move". La última vez que estuve en Miami, me sorprendió escuchar en la radio una publicidad del Ministerio de

Agricultura de EE. UU. que hablaba sobre una tarjeta que entregan a las familias carenciadas para que puedan comprar alimentos orgánicos.

Volviendo al dilema de comer carne o no, quiero compartir con ustedes algunos conceptos de Néstor Palmetti, técnico en dietética y nutrición natural, a quien entrevisté en Pilar antes de dar una charla. Él me dio una visión más ecológica del asunto.

—¿Por qué la mayoría de los nutricionistas dicen que si uno no come carne está mal alimentado?

—Forma parte de la mitología y no significa que sean mala gente sino que están formados así. En un planeta como el nuestro, no es sustentable que todos comamos carne; es imposible. Este planeta está produciendo las calorías para alimentar a dos planetas. Actualmente podríamos alimentar a dos planetas si no tuviéramos dieta carnívora. Pero como la tenemos, para alimentar a un planeta necesitamos de la superficie de dos planetas Tierra. En algún momento esto se advertirá a nivel global y nos daremos cuenta de que estamos haciendo las cosas mal. Al frenar el consumo de tabaco, muchos países han empezado a invertir en la industria alimenticia. Ahora van por una droga legal. ¡La gente puede dejar de fumar pero nunca de comer!

—Mucha gente no quiere cambiar sus hábitos alimenticios por miedo al rechazo, ¿cómo decir que no a un asado entre amigos?

—¿Y cuál sería el problema? Si yo con esa gente ya no vibro en la misma frecuencia, ¿por qué tengo que compartir una comida con ellos? ¿Por qué no pienso entonces en cambiar de amigos? Así como hay gente que vibra en la frecuencia del asado, otra lo hace en la frecuencia de los vegetales... Hay que estar con gente que acepte lo que uno elige comer —asegura este especialista que vive en Córdoba.

¿Fuerte, no? Tal vez lo que nos dice Palmetti puede resultar extremo, pero nos deja pensando... Muchas veces, comer es un acto social, y también es un ritual, y en nuestra cultura toda reunión tiene comida como centro de atracción. Ir a comer afuera es una de nuestras salidas preferidas y hacer un asado los domingos es sagrado... Sin embargo, algunos comienzan a cambiar sus costumbres. En la Argentina se consume cada vez menos carne. ¿Será por una cuestión económica solamente o será porque estamos incorporando otros alimentos? No todos los países tienen campo y vacas como nosotros, y sin embargo no se mueren de hambre. Cada zona del planeta tiene sus propios alimentos.

Tengamos en cuenta que el hombre, en sus orígenes, era vegetariano y solo comía carne en épocas de crisis extrema. Los frutos de la tierra eran suficientes, y recién luego, cuando ya no alcanzaban para todos, comenzaron a pescar y a cazar. Recién cuando el hombre descubre el fuego tiene la posibilidad de cocinar la carne de los animales que cazaba y de esta manera poder ingerirla. La anatomía del ser humano no tiene las características para ser carnívoro. Ni la dentadura ideal ni el largo excesivo de los intestinos fueron diseñados para alimentarse de esta manera.

En la antigüedad, Pitágoras decía: "No den a sus cuerpos comidas pecaminosas, tenemos maíz, manzanas, leche, miel y vegetales. La tierra nos da todas esas riquezas de inocentes alimentos y no banquetes que involucran derramamiento de sangre y matanzas. Solo las bestias satisfacen su hambre con carne y ni siquiera todas ellas".

Me quedé pensando en la "mirada de los otros" cuando uno decide cambiar. A veces los amigos y la familia acompañan y a veces se resisten. No hay nada peor que querer convencer a los otros de algo. No se puede andar por la vida haciendo proselitismo alimentario y eso lo aprendí desde muy joven… Eso sí, ¡no cuestiones lo que yo decido comer! Y si me preguntas, ¡acepta lo que te diga!

¡Necesito algo dulce!

Siempre recuerdo una anécdota con Patricia, mi amiga de la infancia. Ella siempre se quejaba de que estaba gorda y probaba todo tipo de dietas... Yo la aconsejaba con mucha paciencia y trataba de motivarla, pero un día me volvió loca. Durante horas estuvo hablándome de los kilos y la comida. Estábamos en la parada del autobús y no bien me distraje un segundo, se apareció con un helado gigante que había comprado en el kiosco. Fue tanta mi furia que se lo tiré a la calle. Ella no podía creer lo que yo había hecho. Ese momento placentero que quería tener, terminó como un charco derretido en la vereda. Le dije que me tenía harta con el tema de las dietas. Siempre recordamos esa historia y nos reímos mucho. Yo ya no ando tirando helados y no doy consejos, aunque ella sigue hablando de las dietas y los kilos y yo estoy escribiendo este libro...

Y sí, cada uno es responsable del cuidado de su cuerpo y de su salud. Muchos son los que dicen que quieren comer mejor, pero solo queda en palabras. Como dice mi marido, "es más fácil terminar una guerra que dejar de comer azúcar".

Y ya que estamos hablando de dulces y de mujeres, podríamos desarrollar el capítulo en el que me quiero dedicar a la adicción a los kioscos… En especial, a los chocolates, que nos tientan tanto. Es cierto, hay toda una explicación química del asunto que tiene que ver con las famosas endorfinas, pero la clave está en el azúcar refinada. Hace algunos años leí un libro muy interesante llamado *Sugar Blues*, de Willian Dufty, marido de la recordada diva del cine mudo Gloria Swanson, pionera de la macrobiótica en EE. UU. Cuenta la historia del azúcar y de cómo se llegó a utilizar esta sustancia para enfermar soldados y diezmar ejércitos y cómo aún sigue enfermando a millones de personas en todo el mundo. Algunos la consideran una sustancia muy adictiva y tal vez por eso hasta algunas marcas de cigarrillos la mezclan con su tabaco y otros cuantos venenos.

Andrea Purita nos explica que las endorfinas nos ponen de buen humor y nos levantan el ánimo, y es por eso que muchas mujeres dicen que necesitan comer algo dulce cuando se sienten un poco deprimidas…

Y si es chocolate, ¡mucho mejor! Aunque después de comerlo todo sigue igual y nosotras seguimos engordando y a causa de ello nos volvemos a deprimir.

El doctor Cormillot asegura que las grasas y los hidratos de carbono, como las harinas y los azúcares, estimulan a comer más y más...

Angelita nos habla del azúcar que naturalmente contienen frutas y cereales. Está convencida de que podemos reemplazar el azúcar refinada con azúcar negra y orgánica.

Néstor Palmetti es categórico al respecto. Sostiene que todo lo refinado es un veneno y que "si reemplazamos azúcar blanca por edulcorante estamos saliendo de Guatemala para meternos en Guatepeor. Con el edulcorante estás engañando al cuerpo, porque le dices, ahí va el azúcar, y en realidad no va... entonces el cuerpo se prepara para generar insulina y esa insulina baja el azúcar en sangre, genera hipoglucemia y eso produce el efecto contrario. El cuerpo busca rápidamente carbohidratos para restablecer los niveles de azúcar en sangre. La gente cree que no come azúcar y no se da cuenta de que las harinas y los cereales, así como el arroz, ya lo tienen".

Mucha gente ha reemplazado el azúcar por el edulcorante. Me incluyo. Cuando era pequeña se usaban las pastillitas con sabor metálico y luego salió el edulcorante líquido... Fueron mejorándole el sabor y también la composición química. Pero siempre se cuestionó sus consecuencias en la salud. Sobre esto consulte al Dr. Cormillot: "Los naturistas pueden decir lo que quieran pero eso es ignorancia creativa; no hay ninguna evidencia en contra de las gaseosas *light* o los edulcorantes. Dicen que es químico pero en realidad todo lo es... ¿O acaso los vegetales no tienen agroquímicos?".

Según la terapeuta nutricional Silvana Ridner, la industria alimenticia utiliza más edulcorante que azúcar y muchas veces estamos consumiendo edulcorantes artificiales sin saberlo. La sacarina fue el primero, luego el ciclamato, el Acesulfamo-k y ahora el aspartamo. Según los resultados de varias investigaciones que publica en su libro, todos los productos químicos consumidos en exceso provocan graves enfermedades neurológicas. Rescata la novedosa "stevia" o hierba dulce, por ser un edulcorante natural y sin efectos en la salud. Lamentablemente, todavía no está muy extendida y cuesta encontrarla en los comercios.

La licenciada Puentes nos dice que el azúcar es un alimento que solo aporta calorías, hidratos de absorción rápida y que es una energía de corta duración. No hay que hacer abuso de ella y no consumir más de cuatro cucharaditas por día y por eso recomienda los edulcorantes más naturales que se encuentren en el mercado.

Y mientras tanto, ¿qué hacemos los consumidores? Los médicos tradicionales nos dicen una cosa y los naturistas nos dicen otra… Les propongo investigar personalmente y tomar sus propias decisiones. Escuchando todas las campanas se puede elegir con responsabilidad lo que se ingiere. Pero ahora continuaré con los debates.

Para Néstor Palmetti, y para muchos naturistas, consumimos habitualmente cuatro venenos blancos: azúcar, sal, harinas y lácteos.

Para la nutricionista Mónica Katz, "los que sostienen esto son ignorantes. Decir que un alimento es un veneno blanco, como la cocaína, es cero en nutrición".

Y en una postura media, encontramos lo que dice la licenciada Mazzei: "En nutrición hay amigos permanentes y amigos ocasionales. Un alfajor o un pedazo de torta no es algo para comer todos los días. Hay gustos que uno se puede dar de vez en cuando, pero que no deben formar parte de la dieta cotidiana".

Sí, ya sé, la teoría es muy linda, pero cuando las mujeres estamos deprimidas o con síndrome premenstrual nos enloquecemos por algo dulce. El problema del chocolate no es el cacao. Es la grasa y el azúcar que contiene… A mí, por suerte, me da dolor de cabeza, mi hígado está tan desintoxicado que es como tirarle una bomba. Si vas a pecar que sea al menos con un chocolate de buena calidad… No hay nada peor que uno barato, porque está hecho ¡con cebo! Siempre tenemos que recordar una frase memorable que dice: "Come hoy y pagarás mañana por tus excesos". Y si todavía no logré impresionarlos, aquí van algunas razones para no comer tanto azúcar, razones que encontré en algunas publicaciones médicas y científicas de Internet. Son 127 en total pero transcribiré solo algunas:

- disminuye las defensas del organismo;
- aumenta los triglicéridos;
- contribuye al cáncer de mama, de ovario, y de próstata;
- interfiere en la absorción de calcio y de magnesio;
- debilita la vista;
- provoca hiperactividad y ansiedad, sobre todo en los niños;
- provoca desequilibrios hormonales;
- aumenta hemorroides y várices;
- causa constipación y dispepsia;

- y una interminable lista de enfermedades como artritis, asma, cálculos biliares, apendicitis, acidez, obesidad, caries, úlceras, etc.

La lista es larga, pero ante cualquier duda consulte a su médico, como dice la publicidad… Aunque muchas veces los médicos minimizan los efectos de lo que uno consume y solo recetan remedios, ¿no?

Justo llegó Natasha del colegio con un chupetín en la boca. Le imprimí las 127 razones para no comer azúcar y le ordené que las lea. "Mamá, ¡qué impresionante!", dijo muy seria… vamos a ver cuánto le dura la impresión.

La oferta "fenomenal" de golosinas y el bombardeo publicitario no nos da tregua. Los kioscos son muy grandes. Son maxikioscos. Los dulces no son amigos ocasionales sino enemigos permanentes. Ahora se han puesto de moda los "rompemuelas", que son bolas de azúcar que los niños chupan durante todo el día. Siempre recuerdo la *remake* de la película *Charlie y la fábrica de chocolate*. Es la historia de un chico que amaba los dulces y su padre dentista se los prohíbe terminantemente. Ese chico crece traumado por no poder comer golosinas, se va de su casa y arma su propia fábrica de chocolates y otras tentaciones. Johnny Depp interpreta a un genial y excéntrico creador de dulces, que pone a prueba a un grupo de chicos y a sus padres, mostrándonos cómo pueden llegar a ser tan caprichosos y golosos... película ideal para ver con nuestros hijos.

Pero como todavía no llegamos al capítulo dedicado a los chicos, me detengo aquí y sigo con nosotras, las mujeres... a las que llamaremos, a partir de este momento, "las mujeres de tránsito lento".

Congestionamiento de tránsito femenino

¡Qué publicidad tan horrible y engañosa! Campañas destinadas a las mujeres solamente, como si los hombres no sufrieran de constipación. ¿Realmente creen que con un yogur se soluciona todo el problema? Como es un tema que me interesa mucho, y que afecta a muchísima gente que conozco, seguí averiguando...

Nos dice la licenciada Mazzei: "Hay constipación en todos aquellos que no tengan una alimentación saludable. Cuando uno nace, toma el pecho y automáticamente evacua el intestino, eso se llama reflejo gastrocólico. Ese reflejo se mantiene de por vida. Cuando uno toma el desayuno, el intestino se moviliza y se evacua con normalidad. La mañana es el horario ideal para ir al cuarto de baño; durante el día y fuera de casa, se reprime el deseo. Los chicos se levantan rápido para ir al colegio, casi no desayunan y no van al baño, ni en casa ni en la escuela. Aconsejamos levantarse con tiempo para desayunar y así poder ir al baño. Tengo pacientes que han educado su intestino siendo adultos. Les recomiendo tomar mucha agua y que coman fibras. Si comen mucha carne no hay solución. Hay que masticar mucho, eso es importante".

Lo que nos dice Mazzei concuerda con lo que plantea la medicina china antigua: los intestinos funcionan entre las 6 y las 8 horas, por eso a los que madrugan… ¡Dios los ayuda!

Si comes mal, no hay producto que arregle el funcionamiento de tus intestinos. Ahora están con el tema de la hinchazón y en las publicidades ponen mujeres con mala cara y globos que se inflan o mujeres en la playa que se tapan con el pareo… ¡Cuánta maldad! Tendría que prohibirse la publicidad engañosa y no permitir promocionar alimentos a los que se les da un poder mágico sobre la gente. Para tener las defensas altas hay que comer sano, hacer actividad física y no estresarse. ¿O ustedes creen que con una bebida láctea con sustancias de nombre difícil no se enfermarán más?

Si hay hinchazón, seguramente es porque se está comiendo de manera desequilibrada. Antes de caer en recetas fáciles de la tanda comercial, hay que consultar al gastroenterólogo, al médico nutricionista, al homeópata o al médico naturista y revisar la dieta que se está haciendo. Las emociones influyen muchísimo, e incluso cuando uno come una comida saludable también puede caer mal, si estamos nerviosos o apurados. Comer es un ritual sagrado y hay que tomarlo con calma y respeto. "Somos lo que comemos" dice una frase famosa… y "cómo lo comemos", agregaría yo. Los macrobióticos dicen que hay que masticar entre 20 y 40 veces cada bocado y la clave está en la saliva, la cual ayuda a digerir mejor.

Mucha gente desesperada, después de quizás días de no poder ir al baño, recurre a todo tipo de laxantes y enemas provocando que el cuadro empeore.

En los últimos tiempos, se ha puesto de moda la llamada "terapia colónica". Es un lavaje del colon, que se hace con una especie de sonda con agua a determinada temperatura. Es una técnica que se desarrolló en EE. UU. y que tiene muchos seguidores en Argentina. Aseguran que es un tratamiento eficaz para la prevención de tumores cancerígenos. Elimina parásitos y sustancias tóxicas.

Sobre este tema, consulte a Néstor Palmetti, creador de Nutrición Depurativa, quien me dio detalles de esta técnica: "Se hace con agua a 37 grados para poder sacar el tapón. Hay gente que cree que porque se lava el colon ya está bien, pero eso puede barrer la flora intestinal. La idea es que se haga una vez en la vida, para limpiar y después, que no se ensucie más. Hacer lavajes con mucha frecuencia es negativo, hay que tomarlo como un punto de partida para empezar con una vida saludable".

Pero quise ir más allá, así que me dirigí al centro "Renacer", donde se hacen estas terapias… ¡No saben la cantidad de gente que había! Hombres y mujeres de todas las edades… Allí estaba Cristina Assaff, trabajando incansablemente. Con mucha dedicación, me explicó todos los beneficios de la terapia colónica y además me dio una clase de alimentación viva, que es la otra pata en la que se apoya esta nueva tendencia que crece en el mundo.

—¿Qué es un lavaje intestinal?
—Es un método altamente eficaz para la prevención de tumores cancerígenos, una limpieza profunda pero no erosiva.
—¿Cuántas hidroterapias hay que hacerse por año?
—Por lo menos dos colónicas al año y una hepática.
—¿Dónde comienzan estas terapias en Argentina?
—Mi maestra fue Gloria, en Capilla del Monte. Ella fue la pionera.

—¿Qué se puede lograr?

—Limpiar el organismo de parásitos, abrir la mente, empezar a quererse, eliminar toxinas y emociones, los órganos se liberan y se abre la conciencia… la mayoría se vuelve vegetariano. Aconsejo tomar jugo de limón con agua todas las mañanas y dejar las harinas. La alimentación actual nos intoxica y por eso tenemos alergias, dolor de cabeza, insomnio, pólipos, divertículos. Nuestros órganos se desgastan y envejecen.

También le consulté sobre esta práctica a la licenciada Mazzei. Esto me dijo: "¡Es un horror! Me parece un espanto. Puedes purificarte sin agredir el organismo, y un enema es una agresión. En relación con esas terapias colónicas hay muchos a favor y muchos en contra. Yo creo que se puede hacer por vías naturales y con alimentación. Si consumes mucha fruta, verdura y fibras con mucha agua y caldo puedes limpiarte. No recomiendo el ayuno. Sugiero tomar té de yuyos y tisanas, verduras crudas, pan integral y semillas".

Por su parte, la licenciada Andrea Purita nos cuenta que cada vez hay más gente con problemas de constipación: "Lo más llamativo es que ya hay muchos chicos con este problema, y el peligro es que puede hacerse crónica. Mucha gente cree que es normal no ir todos los días al baño y no saben que así se acumulan muchas toxinas que provocan hinchazón, gases, dolores de estómago y, lo peor, cáncer de colon.

Recordé que tenía guardadas algunas publicaciones de homeopatía que se referían a la constipación y encontré un artículo muy interesante del Dr. Mario Draiman en el que nos da algunos consejos.

- Establecer un horario de evacuación, lo ideal es después del desayuno.
- Tomarse el tiempo necesario.
- Repetir el ritual todos los días.
- Nunca retener el deseo.
- Evitar la vida sedentaria.
- Aumentar la ingesta de fibra, verduras, frutas y arroz integral.
- Evitar harinas blancas, arroz blanco y carne.
- Evitar laxantes, porque agravan el problema y crean dependencia.

Uno no debería tener ni tránsito lento ni tránsito rápido. Comer equilibradamente es un arte, pero también deberíamos poner empeño en respetar nuestros tiempos y nuestras necesidades en cuanto a la evacuación. Cada uno tiene sus costumbres y sus rituales y esta vida de locos nos trae cada vez más problemas: gastritis, insomnio, ansiedad, contracturas, ataques de pánico, fobias, falta de deseo sexual y la lista continúa... Tendremos que intentar la vida *slow*, vivir más despacio, tomarse tiempo para cocinar y para comer bien, tomarse tiempo para dormir bien y hasta para ir al baño. La búsqueda de una alimentación saludable no viene sola. Cuando uno decide cambiar algo, todo lo demás comienza a cambiar. El objetivo es sentirse mejor y por algo hay que empezar.

Este año tuve la gran oportunidad de ir a escuchar al maestro Deepak Chopra y les recomiendo uno de sus libros, llamado *Digestión perfecta. El equilibrio mente-cuerpo en un programa para estabilizar su organismo.* Su enfoque es desde la medicina ayurveda y habla de la relación entre las emociones y el aparato digestivo. Se refiere especialmente al estreñimiento, la diarrea y los gases, que pueden provocar un desequilibrio aun más grave. Nos da pautas muy interesantes para prevenir y mejorar estos malestares que repercuten en todo el organismo. "La mala digestión es moralmente destructiva", asegura Chopra. Según esta medicina tradicional de la India, la mayoría de las enfermedades surgen a partir de problemas digestivos.

Mañana lunes, ¡empiezo!

Los fines de semana suelen ser ideales para salirse del plan de alimentación saludable y cometer excesos. Ir a una fiesta, comer en un restaurante o hacer una comida en casa para amigos. A veces comemos cosas a las que no estamos habituados o bebemos demasiado... Ya sé lo que estás pensando: "Me doy un gusto, me quería divertir, quería pasar un buen momento, etc.". El hígado no entiende razones o al menos tus razones no le importan demasiado... ¿Te duele la cabeza? ¿Te sientes mal? "Tengo una pataleta al hígado, no sé qué me cayó mal... ¿habrá sido algo que comí?". Parece el guión de una publicidad que te vende un medicamento, pero que nunca te dirá que no te des más atracones, sino todo lo contrario: "Come como una bestia y nosotros ganamos plata vendiéndote frasquitos y pastillitas".

Para la medicina oriental, el hígado es el órgano más importante y siempre trabaja en conjunto con la vesícula. Un hígado cansado y sobrecargado genera muchos síntomas: hinchazón, gases, dolor de cabeza, estreñimiento, etc. En la antigua medicina oriental se hace mucho hincapié en la relación hígado-visión y se propone una limpieza hepática profunda. El hígado, además, influye en el sistema inmunológico y hormonal. El estado emocional y la claridad mental dependen de la libre circulación de la energía y la sangre. Un hígado sano contribuye a tener un juicio claro y tomar buenas decisiones. El bloqueo de la energía del hígado provoca depresión y agobio, o peor aún, en casos más graves nos lleva a la irritabilidad, el mal humor, la ira e incluso la violencia. Según la medicina china, el hígado es "el maestro de la astucia y de la acción" y los riñones son los "órganos de la longevidad".

La medicina occidental no está muy alejada de estos conocimientos pero se ocupa más de solucionar el problema en vez de convencer a los pacientes en prevenirlos. Resulta más sencillo sacar la vesícula del paciente que advertirle que si no come sano tendrá muchas piedras: "Sácatela y come lo que quieras".

Los nutricionistas de hoy son muy claros y advierten: para prevenir cálculos o problemas hepáticos tenemos que hacer una dieta balanceada, equilibrada y depurar el organismo tomando muchísima agua. Eso es lo mejor para desintoxicar nuestro cuerpo. "Así limpiamos hígado y riñones", asegura la licenciada Purita. El hígado y los riñones son filtros y no hay que recargarlos con grasas, alcohol y medicamentos.

Por mi parte, todas las mañanas bebo en ayunas un limón exprimido con un poco de agua y realmente me da resultado... ¡me siento mucho mejor!

Se viene el verano. ¡Socorro!

Estoy escribiendo este capítulo en primavera, momento en el cual muchos se enloquecen con bajar los kilos acumulados en el invierno, probando todo tipo de dietas y anotándose en el gimnasio. ¡Cuántas publicidades de cremas contra la celulitis! ¡Cómo nos mienten!

Nos esmeramos y logramos bajar un par de kilos, pero después vienen las fiestas de fin de año y aquellos se recuperan rápidamente. Volvemos a la dieta para las vacaciones y bajamos otra vez dos kilos que luego serán recuperados ampliamente durante las vacaciones. Llega el comienzo del nuevo año, la actividad, el trabajo y los estudios. Otra vez el planteo de cuidarse con la comida...y así se nos pasa la vida: comiendo de más y haciendo dieta. Un círculo vicioso que no tiene fin. Otros se dan por vencidos y deciden no privarse de nada y comer de todo… total, ¿qué te va a hacer? Y así terminan. Cuando se tome conciencia a nivel global del grave problema que significa la epidemia de obesidad, podremos modificar nuestra cultura alimenticia. ¿O es una cuestión de autoestima?

Leí ayer una noticia que me llamó la atención: "Se aplica el primer impuesto a la grasa en Dinamarca". En ese país se cobra un impuesto de 6 dólares por cada kilo de grasa que contengan los alimentos; de esta manera, los productos más grasosos como las papas fritas, la manteca o las hamburguesas son más costosos. Un impuesto parecido grava los artículos azucarados, tales como las gaseosas o las golosinas.

En San Francisco, EE. UU., generó mucha polémica la decisión de prohibir los juguetes que acompañan el menú infantil de una famosa cadena de comidas rápidas y hasta se desató un debate político. La obesidad avanza en Inglaterra, España, Italia y Grecia. Lo curioso es que el incremento se da en naciones ricas y pobres y con distintas culturas. Vivimos en un mundo en el que millones están sobrealimentados y otros millones están desnutridos. En la Argentina, más de 20 millones (la mitad de la población) tiene, según datos del Ministerio de Salud, año 2009, exceso de peso. La misma encuesta habla de 7 millones de personas con obesidad.

"Además de la mala nutrición, tenemos el problema del sedentarismo", afirma la Dra. Mónica Katz. "Contamos con barreras del movimiento, edificios que esconden las escaleras, horas frente a la TV, los videojuegos o la computadora, horas en el auto o cualquier medio de transporte, muchas horas sin movimiento."

Bienvenidas algunas medidas que comienzan a tomarse al respecto en nuestro país. En la provincia de Buenos Aires se puso en marcha un programa para incentivar el consumo de verduras y frutas y en la ciudad de Buenos Aires se aprobó un proyecto para que en los kioscos de las escuelas se vendan productos saludables. La sanción de la Ley de obesidad, en el 2009, también fue un gran logro y lo más importante es que las obras sociales cubren ahora tratamientos para todo tipo de trastornos de la alimentación. "Cerrar la boca y mover los pies", aconsejan todos los médicos por televisión. Este es un tema instalado en el mundo entero: por desgracia, ya se está hablando de pandemia.

Sin duda, lo más preocupante es que la obesidad crece a pasos agigantados en los niños, que son víctimas del bombardeo publicitario y los malos hábitos de sus familias, chicos que viven encerrados por la inseguridad y pendientes de la tecnología. La actividad física que hacen en la escuela no alcanza y se ha ido perdiendo la costumbre del club o del "potrero".

Me interesa especialmente hablarles de esto, porque el propósito de este libro es despertar conciencia y que sea el puntapié inicial para que en las escuelas la "alimentación saludable" sea una materia obligatoria. En ese sentido, aprovecharé todas las entrevistas que me hagan por este libro, para lograr que algún político o funcionario provincial o nacional, impulse este proyecto.

Al final de la charla que tuve con el Dr. Cormillot, me dijo muy preocupado que para 2020 se estima que el sesenta y cinco por ciento de la población será obesa y que, para el año 2030, lo será entre un setenta y cinco y un ochenta por ciento, en países occidentales. Tal vez no seremos nosotros esos obesos, pero sí pueden ser nuestros hijos o nuestro nietos… depende de las decisiones que tomemos ahora.

Una de las primeras entrevistas para este libro, la hice con el doctor Claudio Zin, con quien trabajé muchos años en el noticiero "Telenueve". Durante un tiempo fue ministro de Salud de la Provincia de Buenos Aires. Y me interesó mucho conocer su visión como funcionario responsable a cargo de un área tan importante.

—Siempre hablamos de chicos pobres y desnutridos en nuestro país, pero la paradoja es que tenemos más chicos obesos y con problemas de salud por mala alimentación —me dijo muy serio—. Encabezamos las estadísticas de chicos obesos de América Latina.

—¿Y la pobreza tiene que ver con esto?

—Sí, la dieta de las familias de bajos recursos es monótona y repetitiva, muchas harinas, muchas grasas y mucha azúcar. Muchos hidratos y pocas proteínas. Es realmente grave que haya niños en sectores carenciados que sean "petisos sociales", son gorditos y bajitos. Están malnutridos y por eso tienen menor desarrollo físico e intelectual.

—Históricamente, en nuestro país la comida más popular era la carne…

—Ahora ya no, porque es muy cara, así que de 70 kilos por año por habitante bajo a 50 kilos. Se comen más fideos y menos proteínas.

—¿Comer sano es más caro?

—Sí, es mucho más caro. Pero ese no es el único problema, porque en las clases medias y altas también los chicos comen mal. Además de económico es un tema cultural. Cuando era ministro no tuve tiempo de ocuparme de la alimentación de los chicos, me quedó como tema pendiente. Siempre había temas más urgentes, pero soy partidario de cerrar los kioscos en las escuelas y de controlar muchísimo a los comedores escolares. Imitaría las políticas de EE. UU. en esta cuestión.

Me interesó conocer, también, la opinión del actual ministro de Salud de la Provincia, Dr. Alejandro Collia. Me contó que desde enero de 2008 se lleva adelante un programa llamado Salud Activa cuyos ejes centrales son: actividad física, alimentación saludable y ambientes libres de humo. Nos cuenta, a su vez, que la obesidad ha crecido del 14,6 por ciento en 2005 al dieciocho por ciento en 2010 y que la preocupación es por las enfermedades relacionadas, como diabetes e hipertensión. Apunta directamente al aumento del sedentarismo y pone el foco en los grupos de menores ingresos y nivel educativo. Recientemente, el ministro ha asumido su segundo mandato, y ojalá esta vez pueda llevar adelante medidas para frenar esta epidemia.

Cambia algo en tu mundo
y el mundo cambiará

Hablé con las maestras de mi hija Natasha y les conté del libro que estaba escribiendo. Se interesaron muchísimo y me propusieron ir a dar una charla al colegio. Al instante se me ocurrió convocar a la licenciada Mazzei para que dé una clase sobre "nutrición conveniente". Muchas veces la había entrevistado en el "América Noticias" y su especialización en niños junto con su talento para comunicar, la transforman en la persona ideal para hablarles sobre alimentación a los chicos de quinto grado. ¡No se imaginan qué linda experiencia! Estaban tan entusiasmados... levantaban la mano y querían hacer mil preguntas. Durante una hora y media escucharon con suma atención y estoy segura que cuando llegaron a casa, lo comentaron con sus familias. Me sentí muy gratificada por haber podido hacer un pequeño aporte para que tomen conciencia.

¡Qué bueno sería que en todas las escuelas los chicos pudieran aprender a cocinar y a armar una huerta orgánica! ¿Cuántas escuelas en nuestro país tienen un pedazo de tierra? ¡Muchísimas! Sobre todo las escuelas rurales y las más carenciadas. Existe una fundación llamada Huerta Niño que trabaja incansablemente para llevar este proyecto adelante. La campaña está encabezada por el chef Martiniano Molina y todos podemos donar dinero para que esta iniciativa llegue a todas las escuelas del país, las cuales pueden solicitar la construcción de la huerta a la fundación, que luego será construida por los padres y administrada por los docentes. Los niños aprenden a cultivar la tierra de manera natural y lo que se produce se consume en el comedor de la escuela y también en los hogares de los estudiantes. ¡Una iniciativa maravillosa!

Tanto mi marido como yo pusimos especial atención en la alimentación de nuestra hija desde que estaba en la panza. Durante mi embarazo, me alimenté de manera más saludable que nunca, aunque reconozco que tenía un hambre voraz. No me importó demasiado engordar, pero sí comer muy bien. Nació con más de 4 kilos. Era una bebota preciosa.

En el curso de preparto me esmeré mucho en aprender a darle la teta y no tener problemas. No bien me la pusieron en los brazos por primera vez, la puse cerca del pezón para que su instinto la llevara a tomar rápidamente… y así fue. Tomó mucha teta y mucha mamadera también… ¡siempre tenía hambre! Era un bebé muy grande y empezó a comer muy pronto, a los cuatro meses. Fue entonces cuando le confesamos a su pediatra que éramos vegetarianos y naturistas y ella en vez de retarnos por comer sano, como hacen muchos médicos, nos confesó que de todos los pacientes que tenía solo había 2 ó 3 familias como nosotros, pero que ella había comprobado que esos chicos eran los que menos se enfermaban. Con alivio nos miramos con el Polaco y seguimos con nuestra idea de alimentar saludablemente a nuestro bebé. Mi marido ya lo había hecho con su hijo mayor, Fausto, y tenía experiencia en el tema. Automáticamente le pregunté por qué no le explicaba y aconsejaba eso a todas las familias que pasaban por la consulta… me dijo, con resignación, que ella en pocos minutos no podía cambiar los hábitos de toda una vida.

Desde ese momento comencé a prepararle su comida con productos naturales, evitando los envasados y procesados. Comía feliz todas sus papillas, y desde que era muy chiquita incorporé verduras, frutas y cereales a su dieta. En la etapa de jardín de infantes, la lucha fue contra las golosinas. Como en la mayoría de los colegios los kioscos están muy cerca, a la entrada y a la salida veía cómo las madres y los chicos se abalanzaban a comprar gaseosas, *snacks* y caramelos.

Confieso que algunas me consideraban una especie de "extraterrestre" por no querer comprarle nada de eso a mi hija. En los cumpleaños había algunos permisos, no me preocupaba si tomaba una gaseosa o comía un pancho con papas fritas... era algo ocasional y tampoco es bueno ser tan estricto. Lo prohibido despierta el deseo... Recuerdo que un día llegó de un cumpleaños y le pregunté cómo le había ido y si se había divertido. Me dijo con carita pícara: "Comí muchas porquerías". Ya de chiquita aprendió a diferenciar lo que se come cada tanto, en alguna ocasión especial, y lo que se debe comer siempre porque es saludable.

Como estoy segura que a muchos de ustedes les importa la alimentación de sus hijos, le pedí a un prestigioso pediatra, el Dr. Gustavo Abichacra, una reflexión sobre su experiencia en el consultorio: "Desde el primer momento la alimentación es un problema de Estado; lo demuestra la frustración que genera la imposibilidad de amamantar al bebé... cuando el bebé o el niño se da cuenta cuánto le importa a su madre su alimentación, pone en marcha mecanismos para llamar su atención las 24 horas del día. Esto se pone de manifiesto rechazando la teta o las papillas o algún alimento nuevo. La familia se desespera, desestimando a la naturaleza, que dice que un chico que tiene hambre come y ninguno se muere de hambre teniendo comida a su alcance. Con tal de satisfacer sus necesidades se cometen errores y se cae en los malos hábitos. El tema de la comida puede ser un calvario y los padres ceden a que no coman verduras y frutas y sí comida chatarra. Hay mucha preocupación por la baja ingesta y también por el exceso, pero no hay que desesperar, porque todo tiene solución".

En el supermercado, observo a las mamás que van a hacer las compras con sus hijos y me llama mucho la atención cómo ellos, desde muy chiquitos, son los que deciden lo que se compra… ¿Cómo les dan tanto poder? ¡Las vuelven locas! Lloran, gritan, patalean… ¡Ellos mismos ponen lo que quieren en el carrito! Y ellas, por no escucharlos más, acceden.

Y lo peor… escucho mamás que les van preguntando a sus hijos qué quieren comer: "¿Mi amor, qué quieres? ¿Y qué va a decir el chico, que está con el cerebro lavado por las publicidades? Patitas de pollo, papas fritas, postrecitos.

Seguramente, nuestras madres jamás nos hubiesen consultado el menú. Se comía lo que los mayores decidían y punto. Poner límites parece ser el desafío de nuestra época, ¿por qué nos costará tanto?

Otro gran problema es "el nene no me come"… Entonces, las mamás, preocupadas, admiten que coman cualquier cosa con tal de que coman algo. Muchos chicos tienen el problema del "monoalimento": siempre comen lo mismo. Sobre todo los preadolescentes: siempre hamburguesas y papas fritas. Eso conduce a una alimentación deficiente y, a la larga, a problemas de salud y de crecimiento.

¿Por qué a muchos padres les cuesta tanto poner límites en relación con la mala alimentación de sus hijos? ¿Le tienen miedo a la comida sana o no saben cómo enseñar a comer mejor? ¿Le tienen miedo a sus hijos? Como decía Jaime Barylko, en realidad nos cuesta poner límites en todos los aspectos y no existen escuelas para padres; por eso hay que saber pedir ayuda y comprometerse con lo que consideramos importante. Saber decir que no es un acto de amor.

La licenciada en Nutrición Eleonora Puentes habla sobre este punto y nos dice:

—Educar a los chicos en cuanto a la cantidad y a la calidad de los alimentos es un límite, como tantos otros, que uno debe poner. Los padres colaboran en la formación del paladar de los hijos y ellos son los que construyen los hábitos y las buenas costumbres. Existe la falsa creencia de que hablar demasiado sobre alimentación y limitar el consumo de algunas comidas podría generar en los hijos trastornos de alimentación, y esto no es así. Los niños crecen sanos cuando se les pone un límite. Hay que procurar una alimentación para toda la familia que sea variada y sostenida en el tiempo. A pesar de que no lo acepten en un primer momento, la alimentación saludable es como enseñarles a bañarse todos los días, a lavarse los dientes o a acostarse temprano.

Muchas familias están en el cambio y creo que cada vez hay más papás que quieren que sus hijos se alimenten en forma más sana y por eso consultan a pediatras y nutricionistas.

La licenciada Purita nos dice: "El problema más recurrente es 'mi hijo no me come verduras ni frutas' o 'mi hijo no quiere desayunar'. Yo les explico que el problema de los chicos son los hábitos de los padres; ellos copian lo que ven. Muchos vienen preocupados por la alimentación de sus hijos adolescentes, que comen muy mal, o bien hay casos de chicas con anorexia y bulimia…engordan por la mala alimentación y después se obsesionan con dietas peligrosas".

Me parece muy importante, también, conocer la opinión de dos chefs naturistas que enseñan, difunden y promueven recetas ricas y saludables que podemos preparar en casa para nuestros hijos:

Uno de ellos es Pablito Martín, chef naturista:

—No quiero parecer el típico especialista que habla sin haber tenido hijos, pero creo que solo se enseña con el ejemplo. ¿Cómo un padre puede exigirle al hijo que coma bien si él come mal? Hay muchos adultos amantes de la comida chatarra, las golosinas y las gaseosas. Cuando realmente sepan qué sustancias contienen esos productos seguro evitarán que los coman.

—Los papás podemos educar... ¿pero qué hacemos en la escuela?

—La educación debe ser ahora. Imagínate qué bueno sería que los chicos comieran frutas o bebieran jugos recién exprimidos, o licuados, barritas de cereal o sándwiches de pan integral... solo hay algunos pocos colegios que tienen kioscos con productos naturales. Los padres deberían exigirlo en las escuelas, y además debería haber campañas en los medios.

Bárbara Schöffel, cocinera naturista, nos dice:

—Los padres educamos dando el ejemplo. Hay que estar convencidos de los beneficios de una buena alimentación. Debemos dedicarle más atención y energía a nuestra alimentación y a la de los chicos. La falta de tiempo para cocinar es la regla, pero después pasamos horas en la sala de espera del pediatra cuando se enferman constantemente. O peor aún, medican a los

chicos por problemas de conducta, cuando son los estímulos químicos de los alimentos los que los causan,
por la comida que ingieren. Tengo dos hijos, Agustín,
de 9 años, y Valentín, de 7, y a partir de mi experiencia como mamá estoy escribiendo un libro sobre el
tema: "Cómo alimentar bien a tus hijos y no morir en
el súper".

Como verán, somos muchas las mujeres con el mismo tema en la cabeza y las mismas preocupaciones…
¡no es casual que nos hayamos encontrado!

Empresas y responsabilidad social, ¿llega el cambio?

¿Se acuerdan de aquel documental de Morgan Spurlock? Se llamaba *Super Size Me* y era un experimento filmado… comiendo durante un mes en famosos lugares de comidas rápidas en los EE. UU., el hombre se convertía en un obeso y se enfermaba, y con este propósito lograba llamar la atención de la sociedad norteamericana.

A partir de ese momento, se comenzó a cuestionar la llamada "comida chatarra" y se instaló el tema de la obesidad como una epidemia.

Años después, en los medios de todo el mundo, se conoció la noticia de la prohibición de la "cajita feliz" en California. Este famoso producto era especialmente cuestionado por tener un juguete y un menú poco saludable. Miles de niños en todo el planeta desean esa famosa cajita y miles de padres acceden a darles ese gusto. ¿Hasta qué punto es el juguete responsable de la conducta de padres y niños? ¿Por qué esa hamburguesa con papas fritas y gaseosa es tan tentadora?

Las familias son las responsables de la educación alimentaria de los hijos, pero las empresas, los medios de comunicación y la escuela también tienen que colaborar con esto. La obesidad infantil no llegó en un plato volador, y es la principal enfermedad de los chicos de hoy. ¡Hay que ponerle un freno ya mismo!

Con mucha satisfacción recibí la información de que el local de comidas rápidas más famoso había modificado su menú para que sea más saludable. La nueva versión de la "cajita feliz" tiene ahora menos de 600 calorías. El tamaño de la porción de papas fritas es menor y se ha reducido el contenido de sodio en panes, *nuggets* de pollo, quesos y hamburguesas. Se redujo, también, la cantidad de azúcar en los jugos y se han agregado más verduras y frutas en los menús. Hay más opciones de ensaladas y se ofrecen yogures con cereales.

Las modificaciones en esta empresa comenzaron hace un par de meses y las autoridades aseguran que tienen un firme compromiso con la vida sana y la actividad física.

También descubrí que la empresa Danone tenía un programa de hábitos saludables llamado "Nutrición al cuadrado". Consiste en un sistema de aprendizaje para escuelas a través de juegos y de charlas que promocionan la alimentación saludable, la actividad física y la hidratación. Observo con sorpresa, en la televisión, la nueva publicidad del postrecito famoso, ¡pero ahora es de frutas!

Ojalá que cada vez más las empresas se vayan sumando a esta nueva tendencia. Los consumidores somos responsables de exigir productos más adecuados para nuestra salud, y el Estado, de controlar que las normas se cumplan.

Nunca faltan los críticos y resignados que dicen: "¿Para qué comer verduras, frutas y cereales si les ponen todo tipo de fertilizantes y pesticidas? ¿Para qué tanta soja si es transgénica? ¿Para qué comes pescado si los mares están contaminados? Es cierto, estamos arruinando el planeta y nuestra salud; pero la buena noticia es que crece la producción de orgánicos en el mundo... ¡Argentina es el tercer productor!

Me puse en contacto con el Movimiento Argentino de Producción Orgánica (MAPO) para saber cuál era la situación en nuestro país y me dijeron que, según el SENASA –datos actualizados al 2010–, el volumen de producción orgánica de productos vegetales, silvestres, animales e industrializados es de 123.404 toneladas, de las cuales el 99,5 por ciento se exporta y solo el 0,5 por ciento se destina al consumo interno. También me informaron que hay una mayor demanda de productos orgánicos, ya que los consumidores saben que son productos de mayor calidad y sustentabilidad medioambiental y social. Es una pena que se venda más en el exterior que en la Argentina.

—¿Cuáles son las características de la producción tradicional?

—Se utilizan diferentes agroquímicos, como fertilizantes, herbicidas e insecticidas, aditivos químicos para conservar, emulsionar, gelificar y saborizar.

—¿Cuáles son los beneficios comerciales y los perjuicios a la salud?

—El beneficio es mayor producción física, y más disponibilidad de alimentos para los seres humanos. Aun así, no se ha podido resolver el tan promovido "hambre cero". Los perjuicios a la salud son incontables... y los costos son altísimos, tanto sociales como medioambientales.

Por lo visto, si bien Argentina es un gran productor de alimentos orgánicos todavía no es un gran consumidor, como Europa, Asia y EE. UU. Ojalá que muy pronto deje de ser una moda o una tendencia para pocos y se convierta en una elección general y apoyada desde el Estado.

La enfermedad como gran oportunidad de cambio

Hace muchísimo tiempo descubrí una pequeña góndola en un pasillo de un centro comercial en Palermo. Había una larga cola de mujeres comprando panes integrales y esa imagen me sorprendió gratamente. No solo había panes, sino también empanadas, facturas, tortas y tartas. Todo era orgánico, integral y muy rico. A partir de ese momento soy clienta fiel de Hausbrot (que, traducido, es "casa de pan"), y me parece muy interesante que todos conozcan cómo nació esta empresa familiar.

Hace más de 20 años, Añuska Schneider sufría anemia crónica y no había medicina ni tratamiento que la ayudara a superarla. Junto con su marido Marcos, tomaron la decisión de cambiar su alimentación y también empezaron a investigar, viajaron a Europa y, haciendo cursos en Alemania y Suiza, aprendieron los beneficios de los cereales orgánicos e integrales. Su salud mejoró rápidamente y crearon una empresa que hoy es una cadena de 15 locales en Capital y Gran Buenos Aires. Con la ayuda de la periodista especializada en gastronomía, Miriam Becker, publicaron un libro con las recetas de sus deliciosos productos, explicando los beneficios de cada uno de los cereales. Toda la producción proviene de un campo en Tres Arroyos, provincia de Buenos Aires. No se utilizan agroquímicos y los granos llegan directamente a la panadería central en San Isidro. Todo se elabora con harina integral, sin aditivos ni conservantes.

Esta historia demuestra que la crisis significa cambio y que cuando el cuerpo avisa, hay que escucharlo. Todo lo malo puede ser transformado en algo positivo. Añuska pudo curarse de su anemia y junto con su familia pudo emprender un negocio exitoso y divulgar con sus libros y sus recetas las bondades de la alimentación saludable.

En este mundo de la comida más sana, uno se va encontrando en el camino a mucha gente que está en la misma frecuencia… buscando una mejor calidad de vida. Como se imaginarán, paso horas leyendo noticias por Internet, pues eso forma parte de mi trabajo. En el portal Infobae, se publican artículos muy interesantes de Pablito Martín. Él es chef y periodista y hace poco publicó un libro llamado *Con probar no perdés nada*. Comparto con ustedes parte de lo que conversamos con él:

—¿Eres un chef naturista?

—No me gustan las etiquetas y no pongo rótulos. Estudié periodismo, me recibí de cocinero y comencé a investigar sobre alimentación moderna.

—¿Por qué no optaste por la gastronomía tradicional?

—El universo me llevó por este camino, y me di cuenta de que nadie te enseña a comer cien por ciento sano. Muchos cocineros te hablan de cocina natural pero te meten azúcar, harina, sal o fomentan los productos dietéticos y las gaseosas *light*, productos llenos de químicos. Por ello quise contar la otra cara de la moneda.

—¿Cómo llegó el libro?

—Claudio María Domínguez me sugirió que recopilase todas mis recetas, todo integral y sin lácteos. Cada vez más gente está en la búsqueda de una evolución espiritual y eso va acompañado de una alimentación más saludable.

¿La sal de la vida?

Desde épocas remotas se le ha dado a la sal un valor trascendente y quedó la costumbre de no pasar el salero de mano en mano, para que no se caiga por ser algo valioso. Antiguamente era moneda de cambio y de ahí surge el "salario" como forma de pago. No había heladera y la sal servía para conservar alimentos. Pero tenemos que tener mucho cuidado con ella.

No se imaginan la cantidad de veces que he tenido que devolver la comida cuando voy a un restaurante. Le ponen tanta sal que es incomible. Por lo menos, para mí, que suelo usar poca sal para cocinar, y por lo general, baja en sodio o, mejor aún, sal marina. Cuando voy a comer sushi, tengo especial cuidado con la salsa de soja, uso muy poca y pido la versión baja en sodio. Si como con mucha sal seguramente al día siguiente me sentiré hinchada... ¿No les ha pasado de amanecer con los ojos o las manos o las piernas hinchadas? Le echamos la culpa a la humedad pero retenemos líquidos por tanto sodio.

Hablé con mi amiga, la doctora Mariana Lestelle, con quien consulto muchos temas vinculados con la salud, y ella me dijo que el sodio es un mineral importante que cumple la función de equilibrar los líquidos del organismo y la presión arterial, pero me aclaró que el exceso recarga nuestros riñones. ¡Y la gente le pone sal a la comida sin antes probarla! Hay que tener en cuenta que todo lo envasado tiene muchísimo sodio, el cual se utiliza como conservante. No hay que usar más sal de la que entra en un blíster de aspirina. Esa es la medida por día.

Hace algunos meses, el gobierno de la provincia de Buenos Aires puso en marcha un plan que prevé retirar los saleros de las mesas en todos los locales de comida, y solo los clientes pueden pedir el salero si así lo desean. Se propone reducir el sodio que se utiliza en la panificación, y la iniciativa se basa en que el cincuenta por ciento de la población sufre hipertensión y consume sal por encima de los valores recomendados por la Organización Mundial de la Salud.

"Sacar la sal de las mesas fue una medida de gran impacto y generó un gran debate en los medios de comunicación", dice el ministro de Salud bonaerense Dr.

Alejandro Collia. "Sin lugar a dudas, contribuyó en la concientización y ya provocó algunos cambios. Las empresas del sector indican que han bajado sus ventas de sal y algunos proponen ofrecer sobrecitos con 1 gramo de sal, que es la mitad de los ya existentes."

Otra medida muy positiva es la decision del Ministerio de Salud de la Nación de firmar un convenio con el Ministerio de Agricultura y con representantes de la industria alimenticia argentina a partir del cual se busca disminuir la cantidad de sal en todos los alimentos. Con este convenio "se aspira a reducir las 6 mil muertes provocadas por infartos y ataques cerebrovasculares y evitar que unas 60 mil personas queden con discapacidades severas", aseguró el ministro de Salud de la Nación, Juan Manzur. "Convocamos a nuestra industria a comprometerse con la salud de los argentinos", agregó. En la Argentina, se consumen 12 gramos de sal por persona, por día, y lo recomendado es 5 gramos, según la OMS.

¿Cuáles son los problemas que nos trae el consumo excesivo de sal? Lo consulté con la licenciada Eleonora Puentes y ella dijo:

—Definamos primero qué es el consumo excesivo de sal. La sal está formada por dos minerales, cloro y sodio. Cada gramo de sal contiene 400 mg. de sodio.

Nuestro cuerpo necesita entre 500 a 1500 mg. de sodio por día. Por lo tanto, no debemos usar más de una cucharadita de sal por día. Hay que leer las etiquetas de los alimentos industrializados y que cada porción no tenga más de 140 mg. de sodio.

Se puede sustituir con: sales dietéticas, sales modificadas, o sales seudodietéticas saborizadas, pero siempre con moderación.

La terapeuta natural Silvana Ridner me comentó que ahora se utiliza muchísimo la "sal rosada del Himalaya", la cual tiene muchos beneficios. Yo le pregunté por la sal marina y enseguida me dijo que preste atención al comprarla porque no siempre es genuina. Ella sugiere no utilizar para nada la sal refinada. Me quedé pensando acerca de la sal rosada, así que la busqué en Internet, pues nunca la había visto en ninguna dietética. Encontré lo siguiente: llamada "sal de roca o sal rosada", es un producto de evaporaciones ocurridas hace 250 millones de años, estructura cristalina sin contaminación, que captura la energía solar. Tiene 84 minerales activos, mejora el balance de los fluidos, ayuda al drenaje de sustancias tóxicas y no produce edemas. No se contraindica para hipertensos.

Si bien la sal es necesaria para el funcionamiento del organismo, deberíamos aprender desde chicos a no consumirla en exceso. Comer todo tan salado nos ha llevado a atrofiar nuestras papilas gustativas y en un punto ya no le sentimos el gusto a la comida. ¿No escucharon la frase: "Mamá, ¡esto no tiene gusto a nada! ¡Trae el salero!"? ¿Cuántos chicos hay hipertensos? ¡Cada vez más!

La Fundación Cardiológica Argentina alerta que la hipertensión puede ser un asesino silencioso. En su página web encontré muchísima información sobre alimentación saludable y sobre cómo cuidar el corazón.

Prestigiosos cardiólogos de la Fundación nos hablan de la epidemia de obesidad, diabetes e hipertensión como consecuencia de la mala alimentación (exceso de grasas saturadas, grasas trans, azúcares refinados, exceso de sal y pocas fibras), además del sedentarismo actual.

Dicha Fundación publicó hace algunos años *El sabor de la salud*, un libro con recetas ricas y saludables, elaboradas por los más reconocidos chefs argentinos. Estas recetas contienen distintas formas de preparación de los alimentos tradicionales para que la gente tenga una nutrición adecuada. Se aconseja consumir menos sal y condimentar con hierbas aromáticas y aderezos caseros, evitar alimentos envasados o conservados y evitar grasas saturadas.

Mitos, creencias, verdades y mentiras

Llegó a mis manos un listado de mitos o creencias que tenemos sobre algunos alimentos y, consultando con varios prestigiosos nutricionistas, llegué a la conclusión de que los mitos son un fenómeno cultural difícil de erradicar, creencia que se ha ido construyendo a través del tiempo. ¡Presta atención!

Leche entera: aporta más calcio que la descremada. Falso: la leche descremada es más saludable porque se consume menos grasa.

El azúcar negra u orgánica tiene menos calorías que el azúcar blanca. Falso: tienen igual cantidad de calorías, pero la primera es más saludable porque no está refinada.

El jugo de pomelo en ayunas ayuda a adelgazar. Falso: no quema grasas pero ayuda a eliminarlas. Todos los cítricos, especialmente el limón, limpian el hígado y la vesícula.

Beber mucha agua hace adelgazar. Falso: el agua no diluye las grasas pero sí ayuda a desintoxicarse e hidratarse.

Los productos *light* no engordan. Falso: que sean reducidos en grasa o azúcar no significa que no aporten calorías.

Las zanahorias mejoran la visión y el bronceado. Verdadero: tienen vitamina A, que mejora la piel y la vista. Y además tienen betacaroteno, que da un buen color.

La lenteja tiene tanto hierro como la carne. Verdadero: pero hay que comerlas siempre con cereales.

El jugo de naranja aumenta las defensas. Verdadero: nos aporta vitamina C, que ayuda contra infecciones.

El aceite es más saludable que la manteca. Verdadero: los aceites son de origen vegetal y la manteca de origen animal, tiene grasa y colesterol.

Les puse algunos ejemplos nada más, pero les propongo que antes de creer "ciegamente" en algo consulten, pregunten o busquen en la computadora. ¡La curiosidad mató al gato… pero ayuda a los humanos!

Más arriba les hablé bastante de la sal, pero no es ella la única sustancia que contienen muchos productos industrializados. ¿Te tomaste el trabajo alguna vez de leer las pequeñas letras que tienen los envases? Te recomiendo que te pongas los anteojos para ver bien. Yo hice la prueba y fui a la alacena… encontré unos sobrecitos de sopas instantáneas que por suerte nunca tomamos, encontré varios nombre raros y los googleé. "Glucamato monosódico", dice en la cajita… ¿sabes qué es? Es un acentuador del sabor, aditivo alimentario que ya fue estudiado en los últimos 25 años y la Unión Europea y la FDA aseguran que es seguro para el consumo humano. No se puede demostrar que sea nocivo para la salud, dicen algunos estudios… pero también encontré algunas opiniones totalmente opuestas. Todavía el tema despierta polémica ya que algunos especialistas, como es el caso del Dr. Russel Blaylock, quien habla de las "excitoxinas", asegura que es un veneno que debería prohibirse, ya que provoca graves enfermedades que afectan a la población.

¿Quién tendrá la razón? ¿Cuál será la verdad? Por las dudas, hay que comer lo más natural que se pueda y nada industrializado que contenga sustancias químicas de nombre raros. Ya hablamos de los edulcorantes, pero también hay otros como: glucosa, fructosa, dextrinomaltosa, sorbitol, goma xantana, sólidos lácteos, emulgentes, aceite hidrogenado, estabilizantes, antiaglomerantes. Ya sé, me dirás que están permitidos por el Estado. ¿Pero confiarías tanto en eso? Yo no. Fíjate si tienes en casa algún sobrecito de jugo y lee los ingredientes... ¿no sería mejor exprimir una fruta natural? Mira las sopas de sobrecito... sí, es cierto, es más rápido y más cómodo, ¿pero no es mejor una sopa casera?

No quiero ser alarmista y por eso no pongo el listado de enfermedades que encontré, enfermedades provocadas por los químicos que comemos... me quedé tan impresionada que consulté el tema con la licenciada Eleonora Puentes, quien me dijo que, en su opinión, la industria tiene que estar basada en las normas establecidas en el Código Alimentario Argentino y los organismos oficiales: "No podemos negar la realidad y la necesidad de la industrialización alimentaria. Los nutricionistas siempre aconsejamos los productos naturales y la elaboración casera. Es imposible asegurar o desmentir algo que ha sido estudiado científicamente. Estos alimentos y sus aditivos seguirán conviviendo con nosotros y deberemos controlar su uso abusivo. Es como sucede con el cigarrillo y el fumar en exceso, que sabemos que produce cáncer... Lo que sí es cierto es que comer frutas, verduras y semillas aporta un gran número de antioxidantes que combaten los radicales libres que pudieran provocar las sustancias tóxicas que afectan nuestro organismo".

2011-2012,
años de grandes cambios

¡Estoy muy feliz escribiendo este libro! No saben cuánto estoy aprendiendo entrevistando a tanta gente valiosa que comparte conmigo todos sus conocimientos. Eso es lo más enriquecedor de ser periodista: estamos obligados a preguntar y a investigar. Todo este año cociné, viajé, escribí y produje mi programa de entrevistas. Un año sabático de noticieros, ¡25 años sin parar ni un día! Necesitaba un descanso de tantas noticias, porque ya me estaban haciendo mal. No quiero hablar tanto de la muerte y de la violencia, prefiero hablar de la vida y la salud. Me desintoxiqué un poco. Cuando era más joven y no era madre, todo me afectaba menos, pero ahora me he vuelto más sensible. Me da mucha impotencia y me enojan muchas cosas que suceden en Argentina y en el mundo.

¡Cómo nos cuesta a los seres humanos evolucionar y no repetir errores! ¿Por qué hacemos lo mismo una y otra vez? Tal vez las predicciones mayas se cumplan y se venga un gran cambio en el planeta: cuando hay crisis aparece la posibilidad de modificar algo, de no repetir errores. Tal vez con la comida nos pasa algo parecido; en el fondo todos sabemos lo que nos hace mal, y sin embargo lo negamos y seguimos comiendo lo mismo. Comiendo productos naturales cuidamos nuestro cuerpo y nuestro medio ambiente, dejamos de contaminar y de contaminarnos.

Sigo buscando temas atractivos para incluir en este libro y me encuentro con el "crudismo" o "crudivorismo", que es la alimentación viva. Recuerdo que en la charla con Néstor Palmetti hablamos del tema y me dijo que desde el punto de vista fisiológico es mejor la comida cruda y no cocida. "La cocción entró en la vida del hombre cuando se quedó sin frutas o semillas y tuvo que comer cualquier cosa, empezó a manejar el fuego y pudo asar las carnes."

En la revista dominical de un diario, encontré un artículo que habla de la moda de las celebridades de adoptar este estilo de alimentación, alimentos orgánicos crudos como vegetales, semillas y frutas. Nada que necesite ser cocinado. Esa es la consigna. Este movimiento surgió en los años sesenta en Estados

Unidos, de la mano de la doctora Ann Wigmore. Hace dos años empezó a tener seguidores en la Argentina. También la llaman alimentación "crudivegana", ya que no se consumen huevos, lácteos ni carnes. Además de no comer nada cocinado, se evitan totalmente los productos industrializados que contienen aditivos, conservantes y colorantes. Consumir vegetales crudos aumenta la proporción de vitaminas y minerales del organismo y hay que tener en cuenta que la cocción los reduce en un cincuenta por ciento.

Los nutricionistas tradicionales advierten que no es bueno cambiar drásticamente la dieta y que no hay evidencias científicas sobre los beneficios de este tipo de alimentación, aunque sí recomiendan siempre la ingesta de frutas y verduras.

Leo Gardelliano pertenece a la generación de jóvenes que se han dedicado a la gastronomía, y como chef ha viajado mucho y ha adquirido experiencia trabajando en distintos países. Es un emprendedor y tuvo varios restaurantes naturistas. Se convirtió en vegetariano-vegano y hoy está al frente de Raw Club Buenos Aires, y se ha especializado en *raw food* –comida cruda.

—¿Cómo tomaste la decisión de cambiar tu alimentación viniendo del mundo de la comida *gourmet*?

—Me cansé de las cocinas con mucha presión, mucho estrés y mucho ego. Dejé de comer carne porque no me atraía y no me era necesaria. Toda mi familia cambió su manera de alimentarse. Mi madre tenía cáncer de mama y después de varias operaciones, se volvió vegana y crudívora, además de limpiar su organismo con terapias colónicas y hepáticas. Perdió 17 kilos de basura acumulada en años y hoy está sana y tiene una vida plena con fuerza y energía.

—¿Por qué estás convencido respecto de que lo mejor es el crudismo?

—Creo que la alimentación viva fue la comida primitiva y será la comida del futuro, por su potencial enzimático, su vitalidad. En Buenos Aires, creció muchísimo en los últimos cuatro años y cada vez más gente está interesada en hacer cursos y en aprender. Es un cambio que no se puede parar. A mí me cambió la piel, el pelo, la vista, me siento mucho más vital. Mastico más, como más lento. Consumo verduras y frutas orgánicas, leche de almendras, semillas y cereales.

Como siempre, les quiero ofrecer las dos campanas, por lo que consulté a la lic. Eleonora Puentes, profesional de vasta trayectoria, y esto me dijo:

—La gente que opta por la dieta de alimentos vivos o crudos no es motivo de consulta nutricional, la consulta más frecuente es de personas inclinadas hacia la alimentación ovolactovegetariana. Muchos pacientes se acercan al consultorio pidiendo ayuda para ordenar su alimentación de una manera práctica y sencilla. La dieta crudivegana requiere tiempo y dedicación, puesto que para las personas significa un cambio rotundo de hábitos y de costumbres. Yo aconsejo consultar a un especialista para evitar carencias nutricionales y adaptarla a la vida de cada uno. Sugiero, en todos los casos, aumentar la ingesta de verduras, frutas y semillas, porque es muy beneficioso para la salud. Tienen fibras y nutrientes muy valiosos, como vitaminas y minerales, y sirven para eliminar toxinas de la mala alimentación. Otros aspectos saludables es que con este tipo de alimentos se evitan las grasas animales que provocan colesterol y los alimentos industrializados con aditivos y conservantes.

—¿Tiene algún efecto negativo?

—Desde el punto de vista sociocultural, significa un cambio profundo de vida y esto lleva a las personas a relacionarse solo con gente crudívora y a alejarse de otras. Siempre sugiero una dieta equilibrada y considero que no es aconsejable para niños y adolescentes en etapa de crecimiento o embarazadas y deportistas.

—¿A quiénes beneficia?

—Los mejores postulantes serían, sin duda, personas excedidas de peso y con enfermedades derivadas por el exceso de grasa como diabetes, colesterol, presión alta o enfermedades cardíacas, siempre con control médico.

Para muchos, el crudismo es una dieta de moda y no así la macrobiótica, que se practica en todo el mundo desde hace varias décadas. Al comienzo del libro, les conté que cuando era chica escuché por primera vez hablar del tema a mi madre. Corrían los años setenta y en esa época comenzaba a divulgarse en la Argentina. Luego les comenté, también, que mi marido fue macrobiótico durante muchísimos años y que yo misma me he acercado bastante a esta tendencia y he intentado adaptarme a este tipo de alimentación. Actualmente, no estamos tan lejos de comer en casa en forma equilibrada, como propone el Dr. japonés George Ohsawa.

¿Pero qué quiere decir "macrobiótica"?

"Biótica", arte o manera de vivir, y "macro", grande. O sea, la manera de vivir una "gran vida".

La macrobiótica pretende obtener bienestar físico, emocional y espiritual a través de los alimentos. Se basa en la filosofía budista zen y busca la armonía, el equilibrio entre el yin y el *yang*.

Nació en el Extremo Oriente y fue creada por el maestro George Ohsawa, quien, después de sufrir una enfermedad, comenzó a estudiar los alimentos y su relación con la salud. Ser macrobiótico no es ser vegetariano; aun más, a veces se incluyen algunas carnes y algunos lácteos, pero en menor proporción. La base de esta alimentación son los cereales integrales y especialmente el arroz. También se consumen algas, verduras y legumbres. Saber equilibrar lo que comemos, esa es la clave, y además, eliminar totalmente las sustancias artificiales y los químicos que tienen los productos industrializados.

¿Y cómo podemos lograrlo? Todos queremos sentirnos plenos y felices, no enfermarnos y tener mucha energía. Recuerdo el primer lugar macrobiótico donde comí, a los 18 años. Se llamaba "Ying-Yang" y quedaba en el centro porteño. Su creadora, Perla Palacci de Jacobowitz, en la actualidad está al frente de "La casa de Ohsawa", en el barrio de Colegiales y es autora del libro *Macrobiótica para todos*.

Perla va más a fondo y nos explica que el yin y el *yang* son principios opuestos y complementarios, que representan lo masculino y lo femenino, la energía positiva y negativa para dar origen al nacimiento de la creación. Solo el equilibrio mantiene la vida y la salud. Toda enfermedad es provocada por un desequilibrio de la mente, el cuerpo y el espíritu. La salud es el equilibrio entre el yin y el *yang*.

En lo que a alimentos se refiere, la clave está en comer un plato balanceado, un cincuenta por ciento de cereales, veinte por ciento de verduras, quince por ciento de proteínas, diez por ciento de sopas y cinco por ciento de postres.

Perla agrega: "La macrobiótica no es una dieta, sino un aprendizaje. No es solo alimentación, sino una forma de vida".

Hemos avanzado bastante y hemos escuchado distintas opiniones y conocido distintas tendencias, pero vuelvo a formular la premisa inicial de este libro: comer sano y no morir en el intento.

—En realidad, moriríamos intencionalmente si no comemos sano. No existe la dieta perfecta, pero sin duda el cuerpo humano es perfecto y para que esto no cambie hay que nutrirlo desde lo más profundo de sus células hasta lo más externo, como la imagen que nos devuelve el espejo. Propongo una dieta flexible que se adapte a cada momento de la vida. No podemos excluir alimentos con fibra como verduras, frutas, semillas, granos, indispensables para nuestro organismo —nos dice la nutricionista Eleonora Puentes.

—Pero mucha gente cree que come sano porque consume todo *light*…

—Los productos *light* utilizan el *marketing* para aumentar sus ventas, pero también es cierto que la tecnología alimentaria ha evolucionado y uno puede leer las etiquetas y saber bien lo que consume, y esto es lo único que nos puede defender en la lucha contra el *marketing*.

—Pero esa industria utiliza muchos productos químicos...

—La industria alimenticia crece en referencia a la demanda. La única manera de que la salud gane esta carrera es alimentarnos con productos naturales que contrarresten los químicos que modifican nuestro medio interno y nos enferman.

Consulto también sobre la publicidad y la industria a Pablito Martín, quien nos dice:

—Nos influye mucho el bombardeo publicitario y te doy algunos ejemplos. En la televisión, te dicen todo el tiempo que se deben beber dos litros de agua por día. Esto es una verdad engañosa, porque en realidad se trata de dos litros de líquidos, y la mejor fuente de líquidos son las verduras y las frutas. Después está la publicidad de la botellita para no enfermarse. Y siguen enfermándose. Antes era todo *diet* y ahora es *light* o 0% grasa y mañana veremos qué inventan. Comiendo sano no hace falta medir calorías ni hacer dietas mágicas.

—¿Y en qué se basa tu alimentación?

—Te cuento cuáles fueron los primeros cambios fáciles que encaré con resultados inmediatos: reemplacé azúcar blanca por azúcar integral, harina refinada por harina integral, arroz blanco por arroz integral, sal de mesa por sal marina. Incorporé más frutas y verduras, legumbres, cereales, semillas, algas, huevos orgánicos. No consumo más leche de vaca y carnes. Muchos preguntarán: "¿Y el calcio? ¿Y el hierro?". Con todo lo que les enumeré, mi cuerpo está bien nutrido y estoy sano.

El arte de vivir y el arte de comer bien

Hace tiempo que quiero hacer el curso del "Arte de vivir"... aprender a respirar, hacer yoga y vivir menos acelerada. En los últimos años lo estoy logrando y la decisión de vivir en el Tigre, provincia de Buenos Aires, también tiene que ver con la búsqueda de otra calidad de vida. Cuando a la mañana temprano se puede ver el amanecer sobre el agua, se escuchan todo tipo de pájaros y se está rodeado del verde de la naturaleza, difícilmente uno quiera seguir enganchado con la locura y el estrés. En algunos lugares del mundo se está instalando la cultura *slow* y, por lo general, existe mucha gente que está harta de vivir al ritmo de las grandes ciudades y busca comunidades más tranquilas, lejos del ruido y de la contaminación.

Investigando sobre "el arte de vivir", descubrí a Bárbara Schöffel, chef naturista y creadora de la "Cocina consciente". Bárbara tiene su empresa de *catering*, da cursos de alimentación natural, tiene columnas en radio, TV y gráfica y además coordina el área de alimentación del "Arte de vivir".

—¿Por qué no hablas de cocina saludable como la gran mayoría?

—Alimentarse con una cocina saludable sería beneficioso únicamente para el cuerpo; alimentarse de manera "consciente", en cambio, aborda todos los aspectos, que no tienen solo que ver con los alimentos sino también con la manera en que se preparan, cómo se combinan, cómo fueron generados y cómo afectan a nuestras emociones… ser consciente es estar despierto, actuar libremente y en forma natural.

—¿Cómo llegaste a este punto?

—Me crié en Bariloche, en una familia vegetariana, superconsciente, con huerta en mi jardín, sin microondas y con una alacena diferente a la de mis amiguitos. Mis padres siempre meditaron, mi mamá hacía yoga y la espiritualidad se vivió siempre con naturalidad. La comida era parte de todo eso. En el "Arte de vivir" encontré un ámbito fértil para desarrollarme profesional y personalmente.

—¿Qué enseñas en tus cursos?

—El objetivo es generar una conciencia en el modo

de alimentarse, porque esto tiene consecuencias en el modo de ser y de actuar con los demás y con el planeta. Los cursos están divididos en tres partes: primero meditación; después la parte teórica, en la que se comparten conocimientos sobre alimentación; y por último, la parte práctica, que puede ser contemplativa o participativa. Realizamos recetas y después pasamos a degustar y a compartir experiencias.

—¿Crees que cada vez hay más personas interesadas en comer mejor?

—Sí, cada vez hay más gente que busca mejorar su calidad de vida a partir de la alimentación. Algunos sufren depresión, estrés, hipertensión, obesidad, celiaquía, colon irritable, diabetes, problemas cardíacos o cáncer. Hay quienes solo buscan mejorar su aspecto físico y descubren que hay un mundo interior que no tenían en cuenta. Hay mujeres a las que el embarazo las lleva a querer "emprolijar" su alimentación. Hay quienes sienten la responsabilidad de preservar el medio ambiente y hay quienes entienden que se están intoxicando con productos industrializados.

—¿Cómo definirías tu cocina?

—En mi familia se aplicaba una cocina macrobiótica, luego fui incursionando en el Ayurveda. Luego tuve la necesidad de transitar el crudismo vegano. Hoy, luego de haberme capacitado, planteo una cocina fusionando todas las corrientes a partir de mi experiencia. Lo más generoso es acercarles a mis alumnos todas las corrientes, para que cada uno pueda escribir su propia historia. Los estimulo para que sean sus propios maestros y doctores. Me parece contraproducente volverse ortodoxo hacia una sola corriente. Lo importante es salir de la anestesia en la que vivimos, donde los que deciden qué comemos son las grandes industrias alimenticias. Desintoxicarnos, purificarnos, volver a la fuente, a lo instintivo y a lo natural.

Hace pocos días vino a la Argentina a dar una charla una mujer que es una gran referente de la alimentación consciente, la respiración, la meditación y la sanación zen. Se llama Suzanne Powell y vive actualmente en Barcelona. Su historia de vida es muy interesante ya que de muy joven le diagnosticaron un cáncer pero ella no se dio por vencida y pudo recuperarse. Desde ese momento juró dedicarse a ayudar a los demás con las técnicas que ella aprendió y actualmente viaja por el mundo dando charlas multitudinarias. Les sugiero que vean su página web, www.suzannepowell.es, y escuchen sus conferencias en YouTube. Les prometo que se van a sorprender… y me lo van a agradecer.

Testimonios de personas que no murieron en el intento

Anoche, viendo el programa de Susana Giménez,[1] me enganché con la entrevista que ella le hacía a la talentosa Nacha Guevara,[2] y quiero, ahora, rescatar algunas frases que esta última dijo:

Susana: ¿Cómo lograste la eterna juventud? ¿Cómo haces para estar así?

Nacha: No es mágico, es trabajo de muchos años. Es cierto que la genética ayuda pero a la genética hay que ayudarla también. La gente cuida más a su auto que a su cuerpo. Hace 30 años que hago esto, como sano y estudio medicina metabólica. No es fácil, pero no es imposible. No es solo la apariencia externa lo

---

[1] Reconocida conductora y actriz argentina.
[2] Reconocida actriz de televisión y teatro argentina.

que importa, es el cuerpo por dentro. La edad biológica no es la edad cronológica. Me hice unos análisis especiales y mi edad biológica es de 45 años aunque tengo 71.

Susana Giménez la miraba asombrada…y Nacha Guevara agregó: "Lo importante es el talento para vivir y no solo arriba del escenario. El propósito de la vida es ser feliz. No solo importa lo que se come y lo que se bebe, también lo que se piensa y las relaciones que uno tiene".

Al escucharla, recordé una entrevista que le hice el año pasado a Leonor Benedetto,[3] otra mujer espléndida que me dijo cosas parecidas. Leonor escribió un libro llamado *¿Qué hacés para estar así?* Pregunta que le hacen a diario.

Me confesó, durante la charla, que su receta para estar siempre joven y atractiva es la alegría. También me dijo que la comida puede ser fuente de placer o un enemigo mortal… tuvo que elegir entre el placer por la comida y el placer por estar delgada y saludable. Cambiar esto es un trabajo y hay que vencer la compulsión.

---

[3] Reconocida actriz de televisión y teatro argentina.

Ahora pongo de ejemplo a un hombre muy reconocido por su labor como periodista, Ari Paluch. Lo conozco desde hace muchísimos años y en los últimos tiempos se ha transformado en varios aspectos de su vida. Además de lograr el éxito con su programa de radio, cambió su manera de alimentarse y comenzó a hacer deportes. Y como los cambios no vienen solos, desplegó una veta de comunicador de temas espirituales y escribió varios libros de gran repercusión.

ARI: Supe pesar 90 kilos y en el 2002 dije "basta". Estaba en Suiza y los chocolates me rodeaban. Al regreso hice el "clic" y comencé a comer menos. Dejé los dulces solo para el fin de semana y fui bajando gradualmente. Me controlo con la balanza y hace diez años peso entre 78 y 79 kilos. Todos los años, durante seis meses, dejo de comer chocolate o dulce de leche, que es lo que más me gusta. No paso hambre y, además, cuido mi hígado.

Quiero compartir otro fragmento de la entrevista que le hice a Anabela Ascar, con quien me siento identificada en muchos aspectos. Ella dejó los noticieros después de muchos años y logró modificar su vida totalmente.

—¿Cómo te organizas con tu vida vegetariana?

—Amo comer legumbres, arroz integral y ensaladas. También pizza y pastas con verduras o milanesas de soja. A veces cocino yo o compro viandas vegetarianas. Creo que el intestino tiene gran conexión con el cerebro. Una persona con problemas digestivos no puede pensar ni sentirse bien. Como ajo para inmunizar mi organismo y me hago terapias colónicas una vez por año.

Albert Einstein decía que no esperaba ver grandes cambios en la humanidad hasta que esta no se hiciera vegetariana. Según estadísticas, en EE. UU. no existen vegetarianos violadores, estafadores o asesinos. El consumo de carnes está ligado a la agresividad.

—¿Siempre te cuidaste de no engordar?

—Cuando era azafata hacía dieta pero ahora no me preocupa engordar, me interesa comer sano y tener energía. Además, si la conductora de TV número uno del mundo, Oprah Winfrey, es gorda… ¿para qué me voy a preocupar?

Es cierto que la gente famosa y expuesta en los medios necesita verse bien por su trabajo, pero todos debemos sentirnos bien por nuestra salud física y mental. Espero que este libro haya sido un aporte para despertar tu atención y tu curiosidad por saber más. Hoy en día, la información está al alcance de todos y con solo poner una palabra en un buscador de Internet aparece todo lo que uno quiere saber de cada alimento y de cada enfermedad. Cada uno debe elegir lo que más le sirve y le convence, y siempre consultar con especialistas.

Es domingo y estoy terminando de corregir este libro que me ha dado mucho placer escribir. Recuerdo la última llamada de mi amiga Patricia, en la que habló de la "frugalidad"... "¡Agrega algo en tu libro!", me dijo entusiasmada. Y aunque ya lo terminé, y lo estoy por entregar, me gana la curiosidad y busco en Internet. Descubro que hay mucha información sobre esta nueva tendencia o filosofía de vida: "ser frugal". No significa solo comer liviano o comer poco, sino vivir con lo justo y lo necesario. Es una respuesta al consumismo extremo que tenemos, no solo de comida sino de todo tipo de productos: compramos ropa que nunca usamos y nos llenamos de aparatos y tecnología, gastamos mucho, nos endeudamos y nunca ahorramos. Todo esto tiene sus consecuencias ecológicas... ¡a más consumo, más contaminación! Si pudiéramos comprar y comer solo lo necesario, nuestra vida y el planeta serían más saludables.

Recordé también muchas entrevistas que pasamos en los noticieros con personas longevas en las que el periodista le pregunta al anciano que ese día cumple 100 años: "¿Cuál es su secreto?". Y el viejito sonriendo le contesta: "Como de todo pero poquito".

También sobre el final quiero compartir con ustedes una simpática anécdota. Hace poco tiempo fuimos un fin de semana, en familia, a recorrer las cataratas del Iguazú, una de las maravillas del mundo.

Caminábamos sobre las pasarelas de hierro, en el medio de la selva, para poder apreciar de cerca esas inmensas caídas de agua, hasta que nos topamos con una pareja de extranjeros que estaban haciendo un *pic-nic*, sentados con un mantelito y un "banquete" para disfrutar. De pronto, dos coatíes aparecieron de entre los matorrales y se abalanzaron sobre la comida, robándose las bolsas de sándwiches, papas fritas y dulces que eran el almuerzo de los visitantes. Escaparon rápidamente con su botín ante la sorpresa de todos. El turista, riéndose, nos contó que ya le habían advertido los guardaparques sobre los coatíes ladrones de comida y con preocupación nos dijo: "Pobres animalitos, por comer hidratos se han degenerado y han engordado demasiado, algunos sufren enfermedades como la diabetes, comen comida de humanos y les hace muy mal".

Nos miramos entre nosotros y mi hija Natasha, con toda su ingenuidad y simpleza, llegó a la siguiente conclusión: ese hombre se preocupaba por lo que comían los animales pero no por lo que comía él, ¡qué raro!

Después de investigar y consultar con distintos especialistas podemos llegar a las siguientes conclusiones... ¡comer más sano no es tan difícil!

- Remplaza el azúcar refinada o blanca por azúcar rubia, orgánica e integral. Si tomas edulcorante para no engordar, reemplázalo por stevia.

- En vez de utilizar sal común refinada o sal de mesa, usa la sal marina o la sal rosada del Himalaya.

- Siempre agrega una ensalada o un plato de verduras a tus comidas. Siempre es mejor comerlas crudas que cocidas.

- Cuando quieras algo dulce o un postre, come una fruta. Siempre puedes llevar una manzana o una banana en tu bolso o cartera.

- Evita todo aquello que esté envasado: caja, plástico o lata. Los productos de la tierra y los productos naturales son los más saludables y de paso no contaminamos el planeta.

- Tómate el trabajo de leer las etiquetas, cuando el nombre del producto es muy difícil es porque tiene muchas sustancias químicas.

- Incorpora cereales, legumbres y semillas a tu alimentación. Conservan la energía de la naturaleza y puedes mezclarlas con las verduras.

- Siempre elige lo integral a lo refinado. Pan hecho con harina integral y arroz integral y fideos integrales, por ejemplo.

- Acuérdate que lo *light* no significa que sea un producto natural o saludable. Contiene sustancias químicas y solo tiene menos calorías.

- Si comes productos de origen animal, carne, pollo, lácteos... que siempre estén acompañados en mayor proporción por verduras y cereales.

- Cuando vas a comer afuera o a una fiesta, presta atención. Siempre hay opciones más saludables, anímate y pídelas. Hasta en los aviones hay comida vegetariana. En todos los *catering* hay comidas para los que no comen carne y prefieren otros platos. Pasarla bien y divertirse no significa comer cualquier cosa.

En todos lados se cuecen habas ¿Qué pasa en España con la alimentación?

Al comienzo de este libro les conté sobre mi familia española y también sobre mi experiencia viviendo en Madrid, cuando gané una beca de estudios para periodistas de Hispanoamérica.

Mi primer viaje a la Madre Patria fue cuando tenía 10 años y cruzamos el Atlántico en barco con mi papá para visitar a mi abuela, tíos y primos, que vivían en Galicia. Fue un reencuentro muy emotivo, había muerto mi madre hacía poco tiempo y mi padre volvía a su pueblo después de muchísimos años.

Recuerdo todavía aquella finca en Villagarcía de Arosa, Pontevedra, donde él y sus siete hermanos habían nacido y donde todavía su madre tenía una huerta con todo tipo de hortalizas y un gallinero, en el que todas las mañanas recogíamos los huevos recién puestos.

Los sabores y los aromas de la cocina familiar quedaron impregnados en mi recuerdo… un delicioso cocido de gallina, el bacalao con patatas, el pulpo con pimentón… Para mí, una niña criada en Buenos Aires, todo era novedad y sorpresa. Aún recuerdo una tarde de lluvia, jugando y comiendo, con mis primas, unos emparedados de chocolate para combatir el frío en aquella casona de piedra.

Muchos viajes vinieron después, por trabajo o por placer, y con ellos el descubrimiento de comidas típicas de distintas regiones españolas. Me enamoré perdidamente de Sevilla y de Granada, de su arquitectura morisca, de su clima cálido y seco, así como de las delicias que se degustan por esa zona.

¡Qué rico es el zumo de naranja recién exprimido! Los espárragos que acompañan al exquisito jamón de Jabugo, las olivas o aceitunas y, por qué no, los boquerones fritos y las gambas al ajillo. Imposible resistirse a las tapas que sirven en todos los bares típicos de cada ciudad, repletos de turistas de toda Europa, que disfrutan del sol y la buena comida mediterránea…

Mi curiosidad me llevó a querer saber cómo es la alimentación en la actualidad en ese país, e investigando y buscando me encontré con el Dr. Jesús Román Martínez Álvarez, reconocido nutricionista y profesor de la Universidad Complutense de Madrid y presidente de la Fundación de Alimentación Saludable.

—Siempre se habló de la "cocina mediterránea" como muy saludable... ¿es esto cierto y por qué?

—Es muy cierto y hay al respecto numerosos estudios científicos desarrollados durante décadas: la dieta mediterránea contiene alimentos variados en un contexto de consumo familiar y buen ambiente social que supone la ingesta adecuada de los nutrientes necesarios, así como de otras sustancias no nutritivas pero absolutamente esenciales para mantener y mejorar la salud. Son los denominados fotoquímicas: polifenoles, carotenoides, ciertos tipos de fibra... que aseguran el equilibrio de nuestra fisiología, sobre todo actuando como antioxidantes que impiden la actuación nociva de los denominados "radicales libres". Hay que tener en cuenta que no se trata únicamente de un tipo de cocina sino también de una manera de comportarse socialmente ante los alimentos, de consumirlos y de valorar su presencia en el ambiente familiar. El resultado es que la dieta mediterránea se relaciona muy positivamente con una mayor longevidad y, sobre todo, con una mayor calidad de vida con menor presencia de las patologías crónicas (obesidad, diabetes, colesterol elevado, patologías cardiovasculares, cáncer, etc.).

—En España ha aumentado mucho el consumo de "comida chatarra"... ¿por qué?

—El consumo excesivo de alimentos muy calóricos se da sobre todo por desconocimiento y por falta de organización a la hora de hacer las compras. Lógicamente, ciertos productos se consumen, además, en "raciones grandes" (hamburguesas, refrescos azucarados), lo que contribuye a un aporte excesivo de grasa y azúcares a nuestra dieta. Por todo ello, el problema de la obesidad afecta especialmente a grupos de población con menos recursos económicos (la comida "basura" es más barata que la "saludable" habitualmente y, además, tienen menos conocimientos sobre cómo mantener y promover su bienestar.)

—¿Qué pasa con los niños españoles? ¿Comen muchas golosinas y comidas poco saludables?

—Con los niños, el principal problema está relacionado con el sedentarismo y con la falta de actividad física. Por supuesto, cuando se combina con el gusto por sabores "planos", "agresivos", "fuertes", como es el caso de la "comida basura", se llega al sobrepeso y a la obesidad. Hay que tener en cuenta que acostumbrarse a sabores más delicados, como el de las frutas y hortalizas, lleva un tiempo y es necesario educar correctamente al niño. Si en los colegios no se toman medidas oportunas y en los hogares tampoco, cediendo el terreno a las comidas rápidas, la consecuencia es el no aprendizaje del niño y su predilección por alimentos que lo conducirán a las enfermedades crónicas.

—¿En las escuelas hay educación sobre alimentación saludable? ¿Qué comen en las escuelas?

—Desgraciadamente, en las escuelas no existen planes oficiales adecuados, de educación para la salud y, más específicamente, de educación alimentaria. La ley obliga actualmente a proveer dietas saludables vigiladas por un profesional de la salud pero el control y el seguimiento de todo esto no es lo bueno que debiera ser. También es obligatorio proporcionar dietas correctas a niños con necesidades especiales (obesos, diabéticos, alérgicos, celíacos, etc.) pero tampoco existe un seguimiento fidedigno ni supervisión de estas dietas ni del personal manipulador de alimentos que los proporcionan.

Mientras redacto esta entrevista leo una noticia que llega de España y dice que un tercio de los niños de entre 10 y 12 años presentan sobrepeso y un 8 por ciento de ellos es obeso, según un estudio de la universidad de Zaragoza.

—¿Se ha perdido la costumbre de cocinar en casa? ¿Hay mucha diferencia en la alimentación en las grandes ciudades y en los pueblos?

—Con el trabajo acumulado fuera del hogar que muchas mujeres tienen que desarrollar, lógicamente se han ido perdiendo o reduciendo las comidas caseras de más lenta preparación. Eso da pie a comidas rápidas no siempre adecuadas para el bienestar de toda la familia. Cabe esperar que en los pueblos se practicara más la alimentación tradicional pero mucho nos tememos que tampoco, dado que la obesidad, por ejemplo, es mayor ya en las zonas rurales que en las urbanas.

—¿La comida típica española es saludable?

—La comida tradicional es muy saludable y, a la vez, muy variada entre las diferentes regiones. Incluía alimentos sobre todo de origen vegetal (frutas, hortalizas, cereales, legumbres), complementada con carnes, huevos, pescados y lácteos. Esa era la verdadera "dieta mediterránea" que estuvo en vigor hasta la década de 1970 aproximadamente.

—¿La tendencia de alimentos organicos e integrales ha crecido en España?

—Ha crecido pero no todo lo que debiera... de hecho, nuestros agricultores exportan la mayor parte de sus cultivos orgánicos ya que el público no está convencido de sus ventajas y, sobre todo, no está dispuesto a pagar el sobreprecio que actualmente existe entre estos productos y los convencionales.

—¿Hay muchos españoles que hayan decidido ser vegetarianos o veganos?

—Ciertamente, no muchos...

—¿Las enfermedades vinculadas con la mala alimentación han crecido en España en los últimos años? Obesidad, hipertensión, diabetes, etc.

—El temor no es tanto que estén creciendo ahora (digamos que no han disminuido) sino que vayan a crecer mucho dentro de poco, ya que la obesidad y el sobrepeso está aumentando alarmantemente entre los más jóvenes. Entre los adultos, el sobrepeso y la obesidad son los problemas más destacados incrementándose con la edad y, sobre todo, con el sexo masculino.

Para tener otra opinión sobre la búsqueda de la alimentación saludable en España, me puse en contacto con David Román, presidente de la Unión Vegetariana de España y miembro de la Unión Vegetariana Internacional, y él, con su experiencia en el tema, me brindó otro enfoque:

—¿Ha crecido en España últimamente el número de personas que buscan un cambio en su alimentación?

—En España (a diferencia de otros países europeos) no ha habido estadísticas oficiales sobre el número de vegetarianos. Tan solo se han hecho algunas estimaciones que a veces han salido en la prensa, y que hablan de alrededor de 1 millón de personas o también un 3 por ciento de la población. Estas cifras seguramente incluyen a personas que han dejado de comer carnes rojas, pero que nosotros no consideramos como vegetarianos verdaderos porque aún consumen pescados o carne blanca. Por eso, estimamos que la cifra real será inferior. En los años 90 parecía que hubo un *boom* en relación con la crisis de la "vaca loca", pero una vez superado el escándalo, no parece haber variado considerablemente el número de personas que dejan de comer carne. En general, hay un sector de la población que está concienciado en mejorar la alimentación, hacerla más sana, pero esto no siempre conlleva hacerse vegetariano (quizás sí comer menos carne). Lo mismo puede decirse del auge de los alimentos ecológicos... también producen carne ecológica, por lo tanto llevan senderos independientes. Por otro lado, sí se puede afirmar que un sector cada vez más amplio de las personas relacionadas con los movimientos de defensa de los animales adopta dietas vegetarianas (o veganas, sobre todo), y esto se observa especialmente entre los más jóvenes.

—¿Hay un crecimiento en la oferta de comidas naturales, orgánicas e integrales?

—Ciertamente, el sector de la producción orgánica (en España se llama ecológica) está en auge en los últimos años; no ha dejado de crecer a pesar de la crisis económica en la que estamos inmersos. Tanto la producción ecológica como el consumo de sus productos han ido en aumento, si bien la demanda interior solo ha crecido moderadamente y la mayor parte de la producción se destina a la exportación.

—¿Hay oferta de restaurantes vegetarianos en todas las ciudades?

—También se ha mantenido o incluso ha crecido el número de restaurantes vegetarianos, e igualmente algunos restaurantes convencionales ofrecen opciones vegetarianas con más facilidad que antes, aunque todavía estamos lejos de otros países europeos donde la normalización de la opción vegetariana es mucho más patente. No obstante, la existencia de restaurantes vegetarianos se limita principalmente a las grandes ciudades, y en ciertas regiones es bastante difícil encontrar opciones vegetarianas todavía. El público que acude a estos establecimientos lo hace por un deseo de probar algo diferente o algo más saludable, aunque en general no son personas vegetarianas todo el tiempo.

—¿Hay almacenes naturistas o negocios donde la gente pueda adquirir con facilidad productos naturales, orgánicos e integrales?

—Este tipo de establecimientos (llamados en España tiendas de dietética o herbolarios, a los que se han sumado las tiendas de productos ecológicos) están muy extendidos por todo el país. En cualquier población es fácil encontrar alguna tienda de este tipo, por lo que es muy fácil hallar productos naturales o dietéticos. Además, en los últimos años las grandes cadenas de alimentación han intentado introducirse en este mercado y fruto de ello se pueden encontrar también productos dietéticos y de origen ecológico en los grandes supermercados.

—¿Hay cursos de cocina disponibles para que los españoles aprendan a preparar estos alimentos?

—Algunos restaurantes vegetarianos han compaginado su actividad ofreciendo también clases de cocina vegetariana o macrobiótica. Además, hay algunos cocineros que han publicado libros de recetas vegetarianas, o que organizan cursos independientemente. También algunas asociaciones organizan cursos dentro de las actividades programadas. El interés por este tipo de cursos ha ido en aumento entre la población general, como interés a título personal, aunque hasta la fecha no existe ningún centro que ofrezca formación cualificada en cocina vegetariana.

—¿Es esta tendencia solo para una élite o se está haciendo más popular?

—Considero que no se trata de una élite, sino que en esta línea hay personas de todos los estratos sociales. Si bien es cierto que la crisis económica ha limitado las posibilidades de muchas personas, reduciendo todo gasto extra que no sea absolutamente necesario, las personas que gozan de una cierta estabilidad y que tienen conciencia de la alimentación saludable sí han mantenido el interés por comprar alimentos ecológicos o por aprender la cocina natural.

—¿Hay muchos problemas de salud como obesidad y otras enfermedades derivadas de la mala alimentación?

—En España se están disparando las cifras de obesidad, y muy especialmente en la población infantil. Aunque influyen los cambios en el estilo de vida (más sedentarismo, menos actividad física), indudablemente esto también es reflejo de los cambios en los hábitos alimentarios que se han producido en las últimas décadas. La incidencia de enfermedades relacionadas con el sobrepeso, como la diabetes, hipertensión y otros trastornos crónicos, ha ido aumentando, así como la incidencia de enfermedades cardiovasculares y cáncer, que son las principales causas de mortalidad. Los datos más recientes sobre la incidencia de la obesidad son los incluidos en el informe publicado en febrero de 2012 por la Organización para la Cooperación y el Desarrollo Económicos (OCDE): "Una de cada seis personas es obesa en España", apunta el estudio, que subraya también que, como en el resto de países de la OCDE, las mujeres españolas con menor nivel educativo son tres veces más propensas a presentar sobrepeso que las mujeres con más estudios, una disparidad que es "mucho menor entre los hombres". Al hablar de los niños españoles, la OCDE apunta que su tasa de obesidad se sitúa "entre las mayores" de la zona. "Uno de cada tres niños entre los 13 y los 14 años tiene sobrepeso", afirman.

—¿Hay políticas de Estado que impulsen la alimentación saludable?

—En vistas a la progresión de carácter epidémico

que está teniendo el problema del sobrepeso y la obesidad en nuestro país, el Ministerio de Sanidad elaboró en 2005 la Estrategia para la Nutrición, Actividad Física y Prevención de la Obesidad (NAOS), que tiene como finalidad mejorar los hábitos alimentarios e impulsar la práctica regular de la actividad física de todos los ciudadanos, poniendo especial atención en la prevención durante la etapa infantil. El impacto de la Estrategia NAOS ha sido limitado y no está claro que esté influyendo positivamente en la progresión de la obesidad.

Por otra parte, también se ha divulgado la campaña "5 al día", para intentar mentalizar a la población de la importancia de consumir cinco raciones diarias de frutas y verduras. Si bien es cierto que el consumo total de frutas ha ido creciendo en las últimas décadas, el consumo de verduras y hortalizas ha descendido. Pero en cualquier caso, el consumo de frutas y verduras es insuficiente y no alcanza lo recomendado. Menos del 12 por ciento de los ciudadanos toma diariamente las cinco piezas de frutas y verduras recomendadas, según se desprende de un estudio de la Confederación Española de Organizaciones de Amas de casa, Consumidores y Usuarios (CEACCU) sobre los hábitos saludables de los españoles, publicado en 2009.

Según datos de la Encuesta Nacional de Ingesta Dietética Española 2011 realizada por la Agencia Española de Seguridad Alimentaria y Nutrición (AESAN), sólo el 43 por ciento de la población encuestada consume hortalizas diariamente. En cuanto a la fruta sólo el 37,8 por ciento de la población la consume diariamente, y la cantidad media de fruta consumida se corresponde con menos de tres piezas al día, que es la cantidad mínima recomendada. Entre las recomendaciones que se desprenden de esta encuesta se incluye: "Aumentar el consumo de cereales preferentemente integrales, frutas, hortalizas, legumbres, frutos secos, de los cuales se ingieren menos raciones que las recomendadas".

El peso de una nación...
La lucha contra la obesidad en EE.UU.

Si usted tuvo la posibilidad de viajar a los Parques de Orlando, seguramente habrá quedado impactado con todos sus juegos y atracciones que maravillan a grandes y a chicos... Tal vez se puso a observar a las familias que los visitan... ¿No le llamo la atención ver tantas familias obesas? Es fácil detectar cuáles son norteamericanos y cuáles son extranjeros.

Esto tiene que ver con la epidemia que azota a los EE.UU. y por la que se están tomando medidas realmente drásticas por parte de sus gobernantes.

Las cifras son alarmantes: 1 de cada 3 adultos es obeso y ¡1 de cada 5 niños! Se gastan 190 mil millones de dólares al año para atender la salud de millones de personas con sobrepeso en ese país. En Nueva York, por ejemplo, el 58 por ciento de los adultos tienen muchos kilos de más y también el 40 por ciento de los niños de escuelas públicas.

En algún capítulo de este libro les conté que viajo frecuentemente a los EE.UU. y me sorprende cómo y cuánto se están ocupando de esta problemática tan compleja, promocionando la actividad física y la alimentación saludable. En las escuelas retiraron la "comida chatarra" y ofrecen un menú con más verduras y frutas. Los alumnos tienen todos los días, al menos, una hora de deportes y han reducido los impuestos de los locales de alimentos dietéticos y naturales. El alcalde de Nueva York, Michael Bloomberg, alertó que unos 5.000 neoyorquinos mueren al año por esta enfermedad. Muchos lo critican porque no están de acuerdo con que el Estado intervenga en la alimentación de la población, vulnerando libertades individuales. Es cierto, cada uno puede hacer lo que quiera con su salud, pero suicidarse es un delito...

Ya libraron la batalla contra el SIDA y contra el cigarrillo; ahora la guerra es contra los alimentos que no son saludables. Contra el azúcar y la grasa, que matan a mucha gente. La industria de la alimentación es muy poderosa y cada vez nos venden más y más productos con sustancias nocivas que solo generan adicción. Pero hay un dato alentador: el crecimiento de la oferta de productos orgánicos en supermercados y restaurantes sigue creciendo… y los consumidores también.

Hace unos años descubrí a través de la prensa a un empresario argentino, llamado Alberto González, quien tuvo la iniciativa de abrir el primer restaurante orgánico certificado en Manhattan.

Se llama "Gustorganics" y no solo vende alimentos saludables sino que todo el local funciona de manera ecológica. Utiliza energía solar y eólica, recicla materiales y utiliza vasos, cubiertos y envases biodegradables. Purifica el agua con un sistema italiano por estar en contra de la que se consume envasada y que muchos cuestionan…

Él mismo relata que cuando se radico en EE.UU. se sentía mal, falto de energía y descubrió que era consecuencia de la alimentación. Eso lo motivo para emprender esta nueva empresa, ubicada en el *downtown*. En principio pensó en radicarse en California, por la conciencia ecológica de sus habitantes, pero luego se decidió por Nueva York, por considerar que era una ciudad cuya gente más necesitaba alimentos saludables. Su objetivo es que cada vez haya más consumidores de productos orgánicos y así poder bajar los precios, para que esta actividad sea más rentable.

Los alimentos orgánicos, biológicos o ecológicos despiertan el interés de muchísima gente que quiere cuidar su salud y el medio ambiente. Son productos de origen vegetal o animal, libres de pesticidas, fertilizantes o semillas genéticamente modificadas.

Aunque su precio es mayor, las ventajas son muchas. Tienen una mejor calidad de minerales, vitaminas y nutrientes y se eliminan todas las sustancias químicas y tóxicas que a la larga provocan todo tipo de enfermedades. Frutas y verduras orgánicas tienen un mayor porcentaje de antioxidantes y de paso ayudamos al cuidado del planeta evitando la contaminación. Evitamos también ingerir antibióticos y hormonas que se utilizan en la crianza de animales. Es importante analizar la relación costo-beneficio y recuperar los sabores naturales. En algunos supermercados orgánicos también se pueden adquirir productos de limpieza y cosméticos naturales y orgánicos.

Afortunadamente es una nueva industria que está creciendo y cada vez más gente se suma a esta tendencia. En estos días se inauguró en el antiguo barrio de San Telmo, en Buenos Aires, una feria de productos orgánicos; funciona todos los fines de semana, imitando a las que ya existen en Nueva York o en Londres.

En mis últimos viajes a Miami descubrí una nueva cadena de mercados orgánicos llamada "Fresh Market", una en la zona de Aventura, otra en Miami Beach y otra más en Coconut Grove. Una alternativa más a los supermercados de Whole Foods, que se encuentran en casi todas las ciudades de EE.UU. y que aspira en 2012 a tener unos 1.000 locales en todo el país.

Hace algunas semanas la prestigiosa revista *Newsweek* puso en tapa la foto de un bebé obeso con un paquete de papas fritas en sus manos y un provocador título: "Cuando crezca voy a pesar 300 libras… ¡ayuda!". En su interior, un completísimo artículo que cuestiona las actuales políticas públicas para bajar los niveles de obesidad en ese país. Asegura que el gobierno está gastando miles de millones de dólares en campañas para hacer más ejercicio y comer menos, pero que estas no están dando resultado. Elegir la imagen de un bebé rollizo y blanco no es casual: busca causar impacto en el norteamericano promedio. Algunos datos de este artículo revelan los cambios en la sociedad debido al exceso de peso de los habitantes de EE.UU. Estos son algunos ejemplos. En la actualidad, las compañías aéreas gastan 5 billones de dólares más en combustible por el peso de los pasajeros en comparación al año 1960. También en ese año, la guardia costera había estipulado que cada pasajero de una embarcación pesaba en promedio 160 libras y ahora ¡185 libras! Además, un 25 por ciento de los jóvenes de entre 17 y 24 años fueron descalificados para el servicio militar por su sobrepeso.

Gran impacto causó últimamente un documental llamado *Gordo, enfermo y casi muerto...*, realizado por Joe Cross, un ejecutivo australiano de 40 años, residente en EE.UU., que por su mala alimentación y su sedentarismo había llegado a pesar más de 300 libras o unos 160 kilos. Llegó a comer 11 hamburguesas por día y a tomar varios litros de gaseosa hasta que un día su médico le advirtió que, por su sobrepeso, tenía altas probabilidades de enfermarse y que si seguía así se iba a morir...

Fue entonces cuando tomó la gran decisión de hacer un cambio radical en su vida y comenzó a tomar solo licuados de frutas y verduras. La experiencia duró dos meses y a bordo de una camioneta comenzó a recorrer el país, filmando todo lo que ocurría y conversando con la gente que encontraba en su camino sobre hábitos alimentarios y obesidad... solo llevaba su cámara y su licuadora. La prueba dio resultado, volvió a su peso normal y a la vez hizo un gran aporte a la comunidad con este material tan interesante. Por supuesto, también fue un gran negocio, porque se vendieron millones de licuadoras... es fácil encontrarlo por Internet.

En mi último viaje a la Costa Oeste conocí a Yurina Melara, una periodista especializada en temas de salud de un prestigioso diario de Los Ángeles y aproveché para entrevistarla.

—Hoy la noticia sobre la prohibición de gaseosas de más de medio litro en Nueva York armó un gran revuelo y mucha polémica. ¿Están los norteamericanos preparados para hacer cambios en su alimentación?

—Yo creo que los norteamericanos de las ciudades grandes se están viendo forzados a hacer cambios en sus dietas y en sus estilos de vida. Dependiendo de la ciudad y del estado, así son las leyes. Por ejemplo, en Los Ángeles las personas no pueden fumar en ningún lugar público de recreación –parques, playas, etc.–, otras ciudades como Burbank, California, la gente no puede ni siquiera fumar en la vía pública.

La industria de la soda es una de las más afectadas por los cambios; por ejemplo, no hay máquinas de venta de sodas en los edificios públicos ni en las escuelas. El cambio está siendo forzado en algunas ciudades a todo nivel, con opciones de comida saludable y con información nutricional en los restaurantes.

Pero en las zonas rurales, las personas siguen comiendo porciones exageradas de carnes, grasas y gaseosas, así como fumando.

—Así como hubo políticas y campañas muy importantes contra el cigarrillo, la necesidad de modificar la alimentación en EE.UU. para frenar la epidemia de obesidad, ¿logrará reales cambios?

—Sí, es posible que se logren cambios si las autoridades de salud continúan impulsando y exigiendo cambios a todo nivel, desde la tiendita de la esquina, para que venda más frutas y vegetales, hasta cambios a niveles de políticas institucionales.

—¿Por qué la población de EE.UU. está cada vez más obesa?

—La obesidad está directamente relacionada con el nivel educativo y el estrato socioeconómico. Entre más pobre, más obesidad. Si se analizan las estadísticas se darán cuenta de que en las zonas de prevalencia hispana y afroamericana, el sobrepeso y la obesidad afecta a un 60 por ciento de este segmento de la población. Los norteamericanos de descendencia anglosajona sufren de obesidad primordialmente cuando son pobres.

¿Por qué? Bueno, debido a los subsidios federales, es más barato comprar productos procesados que productos frescos. Es más barato comprar una hamburguesa que comprar comida para cocinar. Es más barato comprar una soda que unas naranjas para hacer jugo o un refresco natural.

—¿La obesidad es solo el problema o estamos dejando de lado otras enfermedades provocadas por la mala alimentación?

—Hay una lista enorme de enfermedades provocadas por la mala alimentación que también afectan a la población: diabetes, algunos tipos de cáncer, ataques al corazón, derrames, etc.

—¿La Costa Oeste está más proclive a la alimentación saludable? ¿O es solo una minoría o élite de California?

—Comer de forma saludable está relacionado con el acceso a supermercados y con el nivel educativo. En las áreas pobres hay menos supermercados y más lugares de comida rápida.

—¿Qué opina la gente de las campañas propuestas por la primera dama?

—Uhmmm.... esta pregunta está complicada porque no he visto ninguna encuesta a nivel nacional que aborde el tema.

—¿Comienza a haber más conciencia entre los padres de la importancia de cuidar la alimentación de sus hijos?

—Todo depende del nivel educativo de los padres. Hay muchos padres latinos que tienen acceso a diferentes programas de nutrición y que han modificado la dieta familiar, pero no podría decir que son la mayoría.

—¿Cuáles son los alimentos más nocivos y cuáles las sustancias más peligrosas que tenemos hoy en las góndolas?

—*Potato chips, cookies,* bebidas endulzadas y hasta algunos productos hechos con granola que están disfrazados de comida saludable.

—¿La tendencia vegetariana o vegana tiene cada vez masa adeptos?

—Yo creo que sí, pero otra vez, depende del nivel socioeconómico. Por ejemplo, en el lugar de trabajo de mi esposo –trabaja en una escuela privada para niños de clase media alta– cada vez son más los estudiantes vegetarianos. Los profesores también, por ejemplo, hace cuatro años ningún profesor era vegetariano, ahora alrededor del 15 por ciento lo es, incluyendo mi esposo.

—¿Está creciendo la producción y el consumo de productos orgánicos e integrales?

—Sí, principalmente los productos integrales. Hasta las compañías como Kellogs están promoviendo el cereal integral como ingrediente principal. Sobre los productos orgánicos, pues también están en auge, principalmente en los *farmer markets*, que son lugares en donde los productores venden directamente a los consumidores en ferias que se organizan en los diferentes barrios.

Mientras tanto, en la Costa Este pude consultar a una reconocida nutricionista de la ciudad de Miami, Claudia M. González, dietista certificada y autora del libro *Gordito no significa saludable*.

—¿Qué ha llevado a la población de los EE.UU. estar sufriendo una epidemia de obesidad?

—Es un tema muy complejo que está pasando en muchos países desarrollados. Sin embargo, es posible que en EE.UU. se coma más comida rápida, lista para calentar, de bolsas, de cajas, etc. También, las distancias en la mayoría de las ciudades norteamericanas son muy grandes, y el carro es esencial. Por ejemplo, ciudades como Miami o Los Ángeles, se depende de un carro y los servicios públicos de transporte no son del todo óptimos. En ciudades como Nueva York, Washington DC, Chicago, los sistemas de subway u otros son más efectivos.

Como nutricionista, considero que una de las grandes razones de la obesidad es la falta de actividad física. No creo que la dieta/alimentación de una persona hace 40 o 50 años haya sido del todo óptima, pero sí la persona se "movía" más o trabajaba más con su cuerpo, manos, etc. Ahora compramos cosas por Internet y llegan a la casa.

Por supuesto, adicionalmente, comemos más afuera, las madres trabajan más, y los niños crecen prácticamente sin una guía de alimentación como antes (si es comprobable). No se puede echar la culpa a un sistema o a un gobierno, ya que todos somos responsables de asumir los cambios, es decir: la persona, los padres, el gobierno, las compañías alimentarias, etc. Los padres también, en un sistema en que las escuelas son gratis, les dan desayuno o almuerzo gratis, tienden a recostarse en ese sistema y no asumen la responsabilidad que la nutrición empieza en casa.

Por ejemplo, siempre les digo a los padres: si no están contentos con lo que el colegio les sirve, ustedes son responsables de alimentar bien a sus hijos por el resto del día. Hay que balancear todo. Sin embargo, muchos de esos padres les sirven lo mismo a los hijos que comieron en el colegio, y es un ciclo vicioso.

—¿Afecta a todas las razas y nacionalidades por igual?

—En reglas generales sí, pero si hay muchas estadísticas que demuestran que cuanto más educada sea la persona, menos problema de obesidad existe. Y en este caso, se resume en que los caucasian tengan menos porcentaje de obesidad. Pero es un tema muy complejo, ya que entre los mismos hispanos en EE.UU. hay diferencias económicas, sociales y de educación.

Sin embargo, no importa el color de tu piel, condición económica o de educación, ya que **todos comemos y todos tenemos que cuidar lo que comemos.**

Otro mito de la comunidad Hispana, con su debido orgullo, es pensar que nuestras comidas siempre son mejores (la de cada país) y todavía tengo que encontrar a una persona que me verifique que en su casa le enseñaron a comer bien; no la he encontrado todavía. Raramente encuentro, por ejemplo, a una persona que me diga que el 50 o 60 por ciento de los alimentos que comen provienen de los vegetales. Se puede concluir que en el 99.9 por ciento de los casos, los hispanos no sabemos comer como se debe comer.

—¿Cuáles son los alimentos que a su entender perjudican más la salud de las personas?

—Los que compramos en la mayoría de restaurantes, o los listos para comer. Es decir, quizás la comida sea de una excelente calidad, pero las porciones pueden ser grandes. O se compra en un restaurante de comida rápida con más grasa o porciones también grandes; y en el caso de los listos para comer, puede ser que tengan mucho sodio, grasas, etc.

Por lo tanto, las comidas hechas en casa uno puede llegar a controlarlas más en cuanto a su porción y preparación... pero cuidadito que también muchos de nuestros platos latinos son muy fuertes y llenos de calorías.

—¿La responsabilidad es de la industria alimenticia que cada vez agrega más sustancias perjudiciales?

—Sí y no. El típico ejemplo es la leche materna: la revolución a partir de la cual la mujer se quiere independizar y no darle el pecho al hijo (décadas de 1960 y 1970) crea la leche fórmula/en polvo debido a esa demanda... y ahora son pocas las mujeres que dan pecho o que se quedan en casa.

La responsabilidad de crear productos buenos es esencial de parte de las compañías alimentarias, pero la demanda viene del público. Nosotros dictamos lo que nos gusta o no. Tenemos que educar a los niños desde pequeños a comer saludablemente, y que los adultos no compren o coman lo que no deben comer... Los negocios quiebran si no hay demanda o público.

—¿Las políticas estatales para mejorar la alimentación están bien encaminadas?

—Hay mucha preocupación por la obesidad en los EE.UU., y hay muchas políticas anteriores y actuales o futuras en planes, pero habría que esperar unos 10 a 20 años más para ver los resultados; se puede decir que no estamos viendo los resultados que quisiéramos, muy en reglas generales.

—¿Realmente se está mejorando la alimentación de los niños en las escuelas o solo es una expresión de deseo?

—EE.UU. es un país inmenso, y no es como nuestros países, donde la capital determina lo que sucede en el país entero. Aquí se divide por condados, ciudades, estados y cada uno toma sus propias determinaciones. Hay muchos condados/escuelas que están haciendo progresos positivos, y otros que les falta por hacer.

Recetario

Como les había prometido, estas son
algunas de las recetas que hago habitualmente.
Ese es mi regalo de despedida y ojalá
que cuando me cruce con algunos de ustedes
me digan que se sienten mucho mejor
y que son más felices.

Arroz polaco

No es un arroz que se come en Polonia, es porque le gusta a mi marido, el Polaco.

Ingredientes

- Arroz yamaní: 2 tazas
- Agua: 6 tazas
- Cebolla de verdeo picada: 1 ramita
- Puerros picados: 1 ramita
- Zanahoria rallada gruesa: 1
- Aceite, pimienta y sal

Procedimiento

El arroz yamaní se cocina en olla a presión o cacerola hermética (la proporción es 1 taza de arroz y tres de agua); se pone a fuego máximo hasta que hierve y luego a fuego mínimo unos 40 minutos. Después, déjenlo un rato más sin destapar. Pueden condimentarlo con un poco de sal marina.

Al arroz preparado le agrego un salteado de cebolla de verdeo y puerro y zanahoria.

Consejo: siempre tengan arroz preparado en la heladera y úsenlo de base para prepararlo de distintas maneras. Frío para ensaladas o caliente con distintas verduras.

Opcionales para este plato

También se le puede agregar granos de choclo, arvejas, morrón y hongos. Calculen 200 gramos más de productos. A veces le echo un chorrito de salsa de soja o 2 cucharadas de semillitas de sésamo y lino.

Si lo quieren tipo paella, le agregan 200 g. de camarones o mejillones, también puede ser con pollo picado. ¡Un manjar!

Bastoncitos de tofu

Ingredientes

- Tofu: 300 g.
- Harina integral: 100 g.
- Semillas de sésamo: 50 g.
- Aceite, pimienta y sal: c/n

Procedimiento

Corto el tofu –queso de soja– en bastoncitos. Luego los rebozo con la harina integral y las semillas.

Los cocino en un horno fuerte hasta que estén dorados. Es una buena entrada.

Otras opciones

De aperitivo, bastones de apio y zanahoria con queso blanco condimentado con hierbas o roquefort.

Tarta doña Julia

Julia aprendió a hacer la tarta de zapallitos mejor que yo.

Ingredientes

- Zapallitos: 3
- Zanahorias: 3
- Cebollas: 2
- Provenzal: 2 cucharadas
- Huevos: 2
- Harina integral: 2 cucharadas
- Queso rallado: de 50 a 10 g.
- Aceite, pimienta y sal

Procedimiento

Es muy fácil. Cortan los zapallitos y las zanahorias en rodajas finitas y la cebolla picada. La ponen en una cacerola con un poquito de aceite a cocinar y una pizca de sal. También le agrego provenzal –perejil y ajo–; no hace falta cocinar demasiado pero sí tienen que sacarle bien el agua a la preparación, para lo cual traten de no mover mucho los ingredientes, así se caramelizan. Dejen que se enfríe todo en un colador. Le agregan 2 huevos y dos cucharadas de harina integral. Mezclan bien y colocan la preparación en una tartera. Espolvoreen con queso rallado y cocinen al horno unos 15 minutos. ¡No lleva masa y es fácil y rica!

Budín de calabaza doña Mecha

Este me lo dediqué a mí… ¡lo haces en pocos minutos!

Ingredientes

- Calabaza: 1 mediana
- Choclo: 2 ó una lata
- Huevos: 2
- Harina integral: 2 cucharadas
- Queso rallado: de 50 a 10 g.
- Semillas varias: 2 cucharadas
- Aceite, pimienta y sal

Procedimiento

Preparas puré de calabaza: la pones a hervir en rodajas en abundante agua hirviendo. Lo ideal es al vapor pero siempre sacarle bien el agua. Otra alternativa es cocinarla al horno –sale más sequita y dulce–;

simplemente córtala al medio y cocínala en un horno moderado durante 45 minutos.

Le agregas granos de choclo (si es natural mucho mejor, si no una lata); bates 2 huevos y 2 cucharadas de harina integral. Pones todo en una budinera y espolvoreas con queso rallado y/o semillas.

Cocinas en el horno unos 15 minutos.

Spaghettis integrales, el "tano" naturista

Ingredientes

- Pasta integral: 500 g.

Para el pesto:
- Albahaca: 20 hojas
- Diente de ajo: 1
- Almendras o nueces: 50 g.
- Queso rallado: 4 cucharadas
- Aceite: un buen chorro
- Pimienta y sal: c/n

Procedimiento

La pasta integral se vende en dietéticas, almacenes naturistas y en algunos supermercados. Elige la que más te guste, hay mucha variedad. También hay muchas salsas diferentes que puedes hacer... desde la salsa de tomate natural hasta un pesto como lo haremos ahora.

Pones todos los ingredientes en una licuadora y agregas aproximadamente 100 cc de aceite. Cuanto más aceite pongas, más emulsionado saldrá el pesto.

Muchas veces, hago fideos integrales o fideos de arroz con todo tipo de verduras salteadas en el *wok* y un chorrito de salsa de soja. Cuando vienen invitados, con crema y hongos... ¡delicioso!

Canelones buri-buri

Ingredientes

Para la masa (6 panqueques)
- Harina integral: 250 gramos
- Leche: 400 cc
- Agua: 50 cc
- Huevos: 2
- Sal: 1 cucharadita
- Aceite de oliva: 50 cc

Relleno
- Puré de calabaza: media receta (*véase Budín de calabaza*)
- Granos de choclos: 100 g.
- Ricota: 100 g.

- Espinaca cocida: ½ taza
- Salsa de tomate y/o crema: 400 cc
- Queso rallado: 100 g.

Procedimiento

Para esta receta uso masa para panqueques que es más sencilla y divertida para hacer con los chicos.

Para ello, pon todos los ingredientes de la masa en la licuadora y deja que repose la masa en la heladera por lo menos 30 minutos. Los puedes rellenar con puré de calabaza, espinaca, choclo y/o ricota.

Gratínalos en un horno fuerte con la salsa de tomate o crema y el queso rallado.

Pizza integral Dr. House

Y ya que estamos con las pastas, no pueden faltar las pizzas, pero de harina integral.

Las preparo mientras miro mi serie favorita.

Ingredientes

Para la masa (2 pizzas)
- Harina integral: 300 g.
- Harina leudante: 200 g.

- Sal marina:1 cucharadita
- Aceite de oliva: 70 cc
- Agua: 220 cc

Coberturas

Opción 1. Salteado de verduras: 400 g. Queso o tofu: 300 g.

Opción 2. Rodajas de tomate: 4 tomates. Dientes de ajo picado: 2. Queso o tofu: 300 g.

Opción 3. Rúcula: 1 paquete. Hongos salteados: 200 grs. Queso o tofu: 300 grs.

Procedimiento

En Hausbrot venden las prepizzas, que son riquísimas, aunque también puedes hacerlas en forma casera.

Para la masa de la pizza: mezclen todos los ingredientes y amasen hasta que la masa quede totalmente lisa. Dejen reposar un ratito.

Dividan la masa en 2 y cada una la estiran en una fuente redonda (previamente enharinada) con la ayuda de un poco más de harina. Lo más divertido es amasarla y dejarla bien finita. Dejen que leven nuevamente hasta que dupliquen su volumen.

Para las diferentes cubiertas utiliza cualquiera de las tres opciones y descubrirás unas pizzas riquísimas.

Milanesas de soja

Ingredientes

- Milanesas de soja: 8
  (cómpralas en la dietética o almacén natural)
- Tomate: 1
- Aceite, pimienta y sal: c/n

Procedimiento

Cortamos en rodajas el tomate y en una fuente ponemos las milanesas y sobre ellas el tomate. Las cocinamos en un horno fuerte durante 5 minutos.

Para las ensaladas, te dejo tu creatividad; solo hay que saber mezclar colores, sabores y texturas… ¿viste que no es tan difícil cocinar sanito?

Milanesas de pescado

Antes del postre, algo para los que no son totalmente vegetarianos.

Ya sé que en la Argentina no hay mucha cultura de comer pescado, ¡pero hace tan bien! Tiene fósforo y omega 3. Vayan a la pescadería y pregunten qué es lo que hay fresco y qué llegó ese día. No compren congelado. Lo más fácil son los filetes pero si te aburriste de la merluza, el gatuzo puede ser una buena alternativa.

Ingredientes

- Filetes de pescado: 1 kg.
- Harina integral: 200 g.
- Semillas de sésamo: 50 g.
- Clara de huevos: 2
- Provenzal: 2 cucharadas
- Aceite, pimienta y sal: c/n

Procedimiento

Mezclamos las claras de huevo con la provenzal.

Empanamos con harina integral y semillas los filetes, antes los pasas por clara de huevo.

Cocinas las milanesas al horno con muy poco aceite.

Otras opciones con pescados

El pez ángel o pez pollo son ideales para hacerlos a la cacerola con verduras (cebolla, zanahoria, pimientos y ajo).

El salmón es riquísimo a la parrilla, con mucho limón, envuelto en papel metálico.

Con los mariscos puedes preparar una paella con arroz integral y verduras.

Milanesas de berenjenas

Ingredientes

- Berenjenas medianas: 3
- Harina integral: 100 g.
- Semillas de sésamo: 50 g.
- Aceite, pimienta y sal: c/n

Procedimiento

Corto en láminas las berenjenas y las empano con la harina y las semillas.

Las doras en un horno fuerte y listo.

Omelettes de vegetales

¡Ah! ¡Me olvidaba de los huevos! Antes eran el enemigo número uno, pero ahora son la maravilla de los nutricionistas… ¡pura proteína!

Ingredientes (2 porciones)

- Huevos: 6
- Queso: 10 g. (6 cuadraditos)
- Salteado cebolla picada, champiñones en cuartos y puerro picado: ¼ taza
- Aceite, pimienta y sal: c/n

Procedimiento

Suelo preparar rápidamente riquísimos *omelettes*. Pueden ser con yema o solo las claras. Dentro del batido de huevos le pones lo que se te ocurra, como por ejemplo el salteado de vegetales. Y a la sartén de teflón vuelta y vuelta con una pizca de sal marina. Lo ideal es darlo vuelta con la ayuda de una espátula de plástico. Recuerda que te saldrán dos *omelettes*, por lo tanto los tienes que preparar en dos tandas.

Sándwich de *omelette*

Ingredientes

- Claras de huevo: 2
- Rebanada de pan integral: 4
- Rodajas de tomate: de 6 a 8
- Hojas de perejil: 6
- Mayonesa de soja o de calabaza: 2 cucharaditas (también puede ser queso blanco)

Procedimiento

Para el sándwich:
- Untar las rebanadas de pan integral con la mayonesa de soja
- Agregar las rebanadas de tomate y el omelette

Para el omelette:

- Picar el perejil
- Batir dos claras de huevo
- Agregar una pizca de sal marina y el perejil picado
- Cocinar la preparación en una sartén de teflón durante 4 minutos

De postre...
¡El postre Natasha!

Lo guardaba para el final. Se lo preparaba a mi hija de chiquita pero se lo comía el padre también.

Ingredientes

- Manzanas: 1 kg.
- Agua: c/n
- Yogur de vainilla: 1 litro (si comen lácteos)
- Cereales: c/n

Procedimiento

Pones las manzanas bien maduras y cortadas en cuadraditos en una cacerola hermética con un poco de agua –no hace falta agregarle azúcar– y lo dejas cocinar revolviendo más de una hora a fuego mínimo; si hace falta lo cocinas más tiempo pero agregándole siempre agua para que no se queme y revolviendo permanentemente… te queda un puré muy dulce y natural. Lo comes con el yogur y los cereales. ¡Esa es una muy buena merienda!

Licuados para la tarde

Te doy varias opciones rápidas para poner en la licuadora y listo:

Opción 1: 200 cc de leche de soja y una banana.

Opción 2: el jugo de 2 naranjas con 2 duraznos y 10 frutillas.

Un buen desayuno, además de estas opciones, tiene que tener jugos naturales y licuados, tostadas de pan negro, galletas de arroz con queso blanco, mermelada de frutas (sin azúcar) o miel.

Las librerías están repletas de libros de recetas vegetarianas o naturistas, en todos los almacenes y restaurantes orgánicos también puedes encontrar estos platos. Por Internet hay de todo, no hay excusas. ¡Si quieres cocinar sano, anímate! Y si no te sale tan rico date tiempo. Ya lo lograrás… no mueras en el intento.

Listado de entrevistados

Quiero agradecer, en especial, la invalorable colaboración de quienes se entusiasmaron con la idea de participar de este libro y trabajan permanentemente para ayudar a la gente a comer de una manera más saludable y a vivir mejor.

- Dra. Mónica Katz, especialista en nutrición.
- Lic. María Emilia Mazzei, especialista en nutrición.
- Dr. Alberto Cormillot, médico especialista en nutrición, comunicador y escritor.
- Lic. Eleonora Puentes, especialista en nutrición.
- Lic. Andrea Purita, especialista en nutrición.
- Dr. Claudio Zin, médico, comunicador y ex ministro de Salud de la Provincia de Buenos Aires.
- Dr. Alejandro Collia, médico y actual ministro de Salud de la Provincia de Buenos Aires.

- Dra. Mariana Lestelle, médica clínica, especialista en adicciones y comunicadora.
- Angelita Bianculi, creadora de "La esquina de las flores", escritora y maestra de la cocina naturista.
- Perla de Jacobowitz, creadora de "Ying-yang" y "La casa de Ohsawa". Fundadora de "Macrobiótica para todos".
- Añuska Schneider, creadora de Hausbrot, cadena de productos orgánicos e integrales.
- Néstor Palmetti, técnico en dietética y nutrición natural.
- Silvana Ridner, terapeuta nutricional.
- Bárbara Schöffel, cocinera de "Cocina consciente", "Arte de vivir".
- Leonardo Gardelliano, chef especialista en *raw food*.
- Pablito Martín, chef y periodista, especialista en comida saludable.
- María Cristina Assaff, especialista en terapias colónicas.
- Claudio María Domínguez, escritor y comunicador de temas espirituales.
- Ari Paluch, periodista, escritor y comunicador de temas espirituales.
- Anabela Ascar, presentadora y productora de TV.
- Dr. Jesús Román Martínez Álvarez, reconocido nutricionista y profesor de la Universidad Complutense de Madrid y presidente de la Fundación de Alimentación Saludable.

- David Román, presidente de la Unión Vegetariana de España y miembro de la Unión Vegetariana Internacional.
- Yurina Melara, periodista especializada en temas de salud de un prestigioso diario de Los Ángeles.
- Claudia M. González, dietista certificada y autora del libro *Gordito no significa saludable*.

¡Gracias a todos por sus testimonios!